40대에 퇴직할 때 준비할 것 10가지

40대에 퇴직할 때 준비할 것 10가지

발　행 | 2022년 12월 25일
저　자 | 과객
펴낸이 | 한건희
펴낸곳 | 주식회사 부크크
출판사등록 | 2014.07.15.(제2014-16호)
주　소 | 서울특별시 금천구 가산디지털1로 119 SK트윈타워 A동 305호
전　화 | 1670-8316
이메일 | info@bookk.co.kr

ISBN | 979-11-410-0654-9

40대에 퇴직할 때 준비할 것 10가지

과객

BOOKK

서문

과객

글로벌 IT 대기업이었던 곳에서 20여년간 근무하였고, 재무 임원 CFO를 마지막으로 40대에 퇴직하였다. 시스템 엔지니어로 입사하여 근무하던 중 MBA를 마치고 재무 관련 업무로 전환한 독특한 케이스이다. 남들에 비해 특출 나거나 욕심이 많지도 않았지만, 사회적인 의무를 그 누구보다 열심히 했기에 퇴직을 하려 했다. 주위에서는 생계가 유지되기 어렵다고 도 하였고 하루하루가 정말 지루하고 불안할 것이라며 퇴직을 만류하였다. 그러나 더 늦으면 다시 시작하기 힘들 것 같아서 결심하였다.

퇴직 후 2년이 지난 지금, 나의 하루는 전혀 지루하지 않고, 오히려 그 전보다 더 바쁘게 지내고 있다. 내가 하고 싶은 일들과 비즈니스를 만들어 가는 재미에 시간 가는 줄 모른다. 운동을 더 많이 하니 더 건강해지고 있고, 스트레스가 많이 줄어드니 밥맛도 더 좋다. 절대적인 수입 액은 많이 줄었지만, 비용도 비례하여 줄어드니 생계에 심각하게 영향은 있지는 않다.

퇴직 평균 연령이 49.3세라고 한다. 그 중 비자발적 조기 퇴직이 41.3%라고 하니 반 정도라고 볼 수 있겠다. 자의반 타의반으로 퇴직을 고려 중인 많은 직장인들과 친구 및 동료들 은 "퇴직을 하고 싶지만 조기 퇴직에 대한 정보가 많이 부족하다. 파이프 라인에 대한 두려움이 너무 크다"라고 이야기 한다. 나도 같은 고민을 많이 했었기에 충분히 공감한다. 그런 이유로, 퇴직 후 약 2년간 경험하고 시행착오를 거친 나의 모든 것을 이 책에 담았다. 이 책이 그들의 불안함을 해소하고, 퇴직 준비를 하는데 조금이라도 도움이 되었으면 하는 바램이다.

책에 적혀있는 데로 차곡차곡 준비하고 열심히 노력하면, 퇴직 후 하루들이 생각했던 만큼 불안 하지만은 않을 것이다. 그에 대한 보상으로 시간의 자유를 얻게 될 것이고, 소중한 내 시간을 가족과 더 많이 함께 할 수 있게 될 것이다. 다양한 파이프라인에서 수시로 들어오는 수익들은 보너스가 될 것이다

목차

제3장 40대에 퇴직할 때 준비할 것 10가지

1) 가족과 충분 한 대화하기
2) 10년간 예상 현금 흐름 작성하기
3) 10가지 버킷리스트 작성하기
4) 하루 일정표 작성하기
5) 새로운 일정에 적응하기
6) 10가지 파이프라인 계획 짜기
7) 퇴직 후 직업선택: 직원|임원|사업|전문직|전업투자자
8) 사업 계획 준비하기
9) 퇴직 전 회사에서 꼭 확인할 것 5가지
10) 퇴직할 때 조용히 떠나자

제4장 유용한 경제상식 10가지

1) 노령화 사회가 가속화
    - 국민연금 고갈 이슈
    - 실버타운
    - 실버교육
2) 1~2인 가구 증가
3) 1인당 평균 생활비 90만원
4) 온라인 비대면 업종 창업 증가세 지속
5) 숙박.음식점업 부동산업 창업 감소
6) 종합소득세
    - 근로소득

- 이자/배당소득
- 사업소득(부동산 임대)
- 연금소득
- 기타소득
- 종합소득

7) 법인세

8) 자본수익률 5%

9) 한국부자의 총자산 구성비 6:4

10) 4대 보험

제5장 파이프라인 준비하기 10단계

1) 퇴직 후 사라지는 비용을 확인하자

2) 신규로 발생하는 비용을 체크하자

3) 파이프라인 목표 금액 설정하자

4) 내가 하고 싶은 비즈니스로 10만원 벌어보자

5) 현금 흐름의 중요성을 잊지 말자

6) 파이프라인 이것만은 주의하자
- 노동의 신성함
- 강남병원 마이너스손실
- 남들 다 한다고 떠라 하다 망함

7) 파이프라인 이것만은 꼭 포함 하자
- 삶의 보람을 느낄 수 있는 일
- 최소 10년 이상 할 수 있는 일

8) 다양한 컨텐츠. 수익구조의 다변화를 인식하자

제6장 주요 자료

에필로그

제1장 퇴직의 신호

1) 사무실 복도에서 쓰러진 나

몸이 예전 같지 않다. 20대에는 밤 새도록 놀고 학교 가도 멀쩡하고, 30대에는 밤 늦게 까지 술 먹고 회사 가도 그래도 버틸 만 했는데, 40대에는 야근하고 회식만 해도 아침에 일어나기 너무 힘들다. 예전에는 회식 때 "2차 가시지요" 하고 적극적으로 리딩 해주는 직원이 참 보기 좋았는데, 40대가 되고 나니 시간 끌고 얘기 오래 하는 사람이 부담스러워진다. 종종 회식 막바지에 고기 더 시키자고 하는 사람도 있고, 사실 속으로는 빨리 끝내고 집에 가서 자고 싶은데 매번 상황이 뜻대로 되지는 않는다.

그러던 어느 날, 업무 시간 중 회의실에서 걸어 나온 복도에서 갑자기 넘어졌다. 어디에 걸린 것도 아니고, 그냥 자연스럽게 천천히 스르르 누웠다. 정신만 멀쩡했지, 일반적으로 사람들이 쓰러지는 상황과 느낌은 비슷하다. 머지? 너무 당혹스럽고 멋쩍어서 금새 일어나긴했다. 그때는 바빠서 신경도 안 쓰고 넘어갔지만, 내 몸과 마음에서 나에게 보내는 정직한 SOS 신호인 "살려주세요"였던 듯하다. 정신적인 스트레스와 시간의 압박에서 느끼는 중압감이 가장 큰 이유일 것으로 추측되는데, 그때도 변함없이 회의가 많았던 일정 이였고, 연이은 회식도 이어지는 시즌이었다. 그날의 일정을 재구성 해보자.

그 날의 일정
새벽 05시 기상
오전 08시 임원 회의 참석,
오전 10시 본부장 회의 참석
오후 14시 채용 직원 면담
오후 15시 변호사 면담
오후 17시 프로젝트 계약 리뷰
저녁 19시 메일 및 결재건 확인
저녁 20시 소송 관련 비용 시뮬레이션,
저녁 22시 퇴근
저녁 24시 취침

필자는 운동과 외부 활동을 좋아하는 외향적인 성향은 사실 아니다. 그럼에도 취침 시간은 조금씩 다르긴 하지만, 스케줄 상 평균 하루 5 시간

정도만 자고 있었다. 운동은 못 한지 몇 년이 지났고, 주말 포함 해서 잠을 푹 자 본지가 언제인지 기억도 안 난다. 오래 의자에 앉아 있은 후 일어나면 허리가 아파서 바로 걸어가지도 못한다. 일도 중요하고 커리어도 챙겨야 한다. 하지만 이 상태로 가다가는 곧 또 넘어 질 것 같았는데, 이렇게 회사에서 또 넘어질 수는 없었다. 고민과 결심이 필요했다.

이제는 퇴직을 준비 해야겠다 라고 생각한 건 대략 이때부터 인듯 하다.

2) 평균 퇴직 연령 49.3세, 비자발적 조기퇴직 41.3%

2022년 3월 8일 미래에셋투자와연금 센터에서 '늦어지는 은퇴, 생애주기 수지적자에 대비하라'라는 최근 10년간 근로자들의 퇴직과 은퇴의 동향을 분석 한 보고서를 발간 하였다.

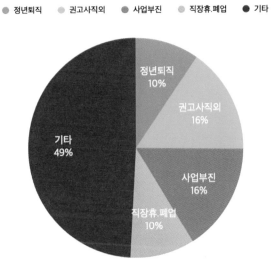

보고서에 따르면, 퇴직 평균 연령은 49.3세, 퇴직시 평균 근속기간은 12.8 년으로 조사되었다. 통계청 경제활동 인구조사 자료를 토대로 하였으므로 신뢰성은 높다고 볼 수 있겠다. 10년간 평균 퇴직 연령은 49.3세에 머물 러서, 법정 정년 연령인 60세와는 매우 차이가 있다.

퇴직 형태도 10년 전과는 매우 다른 양상을 보이는데 사유 별로 보면,

일반적 정년 퇴직은 9.6%로 100명을 전체로 가정하면 10 명이 채 안
되는 인원이다. 반면,권고사직, 명예퇴직, 정리 해고 등 비자발적 조기
퇴직 비율은 41.3%에 달한다.(아래 표 참조)

사유 별 퇴직 비율

퇴직 사유	비율	비고
정년퇴직	9.6%	
권고사직.명예퇴직.정리해고	15.6%	비자발적 조기퇴직
사업부진.조업중단	16.0%	
직장 휴.폐업	9.7%	
합계(비자발적조기퇴직)	41.3%	

출처: 미래에셋투자와연금센터 보고서

즉, 퇴직자의 절반 가까이는 정년 이전에 비자발적인 조기 퇴직을 한다
고 볼 수 있다. 정년 퇴직 비율은 낮아지고, 비자발적 조기 퇴직 비율이 증
가하고 있어서 현실적으로 이른 퇴직에 대비할 필요성이 매우 커지고
있다고 센터 는 설명했다. 필자는 이른 퇴직에 대한 준비가 많이 되지
않았었다. 늦기 전에 지금부터라도 준비해야 하겠다고 생각했다.

또 다른사례를 보면, 최근에 본'00 전자의 임원 승진인사' 헤드라인이다

"00 전자 198명 임원 승진 인사"
- 30대 상무 4명, 40대 부사장 10명 -

생각을 해 보았다, 그럼 이제 30대 상무 4명과 40대 부사장 10명이 부임했다. 업무에 있어서 나이가 전 부는 아니지만, 불편하지 않다고 하기에는 사회 정서상 쉽지는 않다. 기존 상무, 부사장 등 임원들에게는 부담이 될 것이고, 낮은 직급에서는 동경의 대상이 될 수도 있겠다. 동기부여가 되어 더 열심히 일을 하게 될지, 그대로 버틸 것인지, 아니면 이직이나 퇴직을 할 것인지, 퇴직하면 무슨 사업을 할 건지 모두 생각이 많을 것이다.

그럼에도 대부분이 공감하듯이 더 이상 회사가 내 인생 60세까지는 책임져 주지 않을 것이라 생각할 것이다. 더군다나 정년 퇴직 때까지 몸 담고 있는 회사에서 지금처럼 일하기는 더더욱 어려울 것이다. 회사가 정년 퇴직까지 책임져 주지 않은 시대가 왔으니, 퇴직은 이제 각자 알아서 미리미리 준비해야 한다. 준비하지 않더라도, 준비되어 있지 않더라도, 누구에게나 언제가 될지는 모르지만 반드시 퇴직의 시간은 오게 되어 있다.

필자의 경우는 정규직 직원으로 근무하다가 임원이 된 경우이다. 몸 담았던 회사의 정관과 사규에 따르면, 정규직 직원은 60세 정년퇴임이 보장되어 있고, 임원은 2년계약직으로 임기가 정해진다. 정규직 이었을 때 는 사실 은퇴를 생각해보지도 않았고, 대부분의 직원들과 마찬가지로 정년 퇴임 또는 55세 퇴직이 목표였지만, 임원이 되어 계약직으로 고용형태가 변경되고 나니 미래에 대한 불안감이 현실로 다가왔다.

계약 갱신일이 다가올수록 점점 고민이 많아졌고, 결국 여러 가지 이유로 퇴임을 선택 아닌 선택을 해야만 했다. 이때가 40대 중반이었다. 더 이상 회사가 내 인생 60세까지 책임져주지 않은 시대임을 공감해야 할 것이다. 퇴직은 이제 각자 알아서 늦기 전에 미리미리 준비해야 하고, 그래야만 필자처럼 퇴직 후 고통의 시간이 너무 길어지는 과오를 줄여 나갈 수 있을 것이다.

평균 퇴직 연령 49.3세 | 비자발적 조기퇴직 41.3%

40대에 퇴직할 때 준비할 것 10가지

3) 매우 나빠진 나의 건강

퇴직 전 약 5년 동안 수면과 운동에 시간을 많이 할애하지 못했었다. 그 여파로 나의 몸은 망가질 대로 망가진 상태였고 점점 안 좋아지는 상태 였는데, 급기야 퇴직할 즈음은 무리한 스케줄로 인해 일상 생활도 힘들 정 도 였다. 회사 일을 줄이든 운동 시간을 대폭 늘이든 어떤 식으로든 개선을 해야 하는 상황이었다.

우선은 허리가 너무 아팠다. 몸 담았던 회사는 회의 시간이 상당히

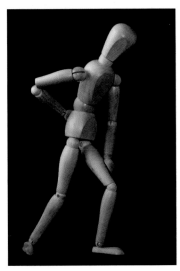

많았었는데, 회의실이나 의자에 1시간 정도 앉은 후 일어나면 걷지를 못했다. 2시간 정도가 넘어가면 이 허리는 더 이상 내 허리가 아니다. 그냥 뻐근한 정도가 아니라 골반이 움직여지지 않을 정도여서 오래 앉아있지 않으려 했다. 회의 시간 중간 중간 스트레칭 하고, 회의 시간도 조정 하면서 완화하려 노력을 했다.

조금은 나아졌다.

그럼에도 궁극적으로 문제가 해결되지 않는 것이 있었는데, 출퇴근

시간이었다. 여러 가지 이유로 회사와 집의 거리 가 편도로는 약 50km이고, 왕복은 100km로 꽤 먼 거리다. 여건상 차로 출퇴근을 할 수밖에 없었는데, 월요일이나 날씨가 좋지 않은 날에는 2시간 훌쩍 넘어갈 때가 종종 있다. 이때는 허리가 너무 아파서 견딜 수가 없다. 차에서 나올 수도 없고, 화장실 가고 싶은 사람 마냥 움찔움찔 한다. 오래 걸릴 경우는 2시간 30분 정도 찍어본 듯 한데, 도착하고 나면 한참을 스트레칭 해줘야 조금씩 걸을 수가 있었다.

어느 날은 팔이 올라가지 않았다. 자고 일어났는데 오른팔이 들려지지 않는다. 당장 침대에서 짚고 일어나야 하는데 일어날 수가 없다. 무섭다. 어찌어찌 옆으로 옆으로 해서 억지로 일어나기는 했다. 그런데, 역시나 팔을 움직일 수가 없다. 양치하고 소파에 앉고 난후 에도 일어날 수가 없어서, 억지로 비틀어서 일어난다. 밥을 먹을 수도 없어서, 왼팔로 오른팔을 잡고 서야 밥을 먹을 수 있다. 일단 왼팔로 힘들게 운전해서 회사로 출근을 했다.

주말에 병원에 진찰을 가보니, 흔히 얘기하는 오십견의 일종이라고 한다. 승모근부터 등쪽 견갑하근, 전거근(앞톱니근) 등이 전체적으로 굳어 있다고 한다. 어깨 근처 근육들이 모두 굳어 있다는 얘기 같다. 치료 방법으로 스트레칭을 지속적으로 해야 하고, 의자에 앉는 자세도 교정 해야 한다고 하신다. 모니터와 핸드폰을 오래 보는 것도 어깨와 질병에 좋지 않고, 키보드 치는 높이도 문제가 있을 수 있다고 한다. 앉아 있는 것이 가장 안 좋으니 수시로 서있고 적절한 걷기 운동을 병행 해야

40대에 퇴직할 때 준비할 것 10가지

한다고 한다.

숨이 너무 차서 걷기가 힘든다. 걷기를 하지 않고, 매일 저녁 술을 먹고, 밤에는 잠을 푹 못 자니까 그 직접적인 결과로 평소에 숨이 찬다. 유산소운동을 전혀 하지 않으니 폐는 쪼그라 든 것이고, 폐활량이 감소하니 조금만 움직여도 숨이 찬다. 팔을 위해서라도 걷기를 시작 해야겠는데, 새벽? 저녁? 좀처럼 시간이 나지 않는다. 조금이라도 걸어야하는데, 지금은 회의실 A 에서 회의실 B 까지 가는 것이 현재로써 최선의 걷기 운동이다. 주말에 운동을 하려고 PT를 끊었지만, 또 일요일 긴급회의다. 점심까지 사무실로 가야 한다. 이래 저래 숨이찬다. 폐에서 한번, 머리에서 한번, 계속 숨이 찬다.

어깨가 앞으로 말린다. 적다 보니 거의 종합 환자다. 그나마 다행인건 증상 여러가지이지만, 원인은 거의 하나라는 것이다. 운동 부족, 앉은 자세 불량, 오래 의자에 앉아있고, 스트레스 과 다이다. 지속적으로 펴주어야만 소흉근과 대흉근이 아프지 않을 것이다. 워낙 운동을 좋아하지 도 않고, 섣불리 시작하기에는 몸 상태가 너무 좋지 않아서 고민이다. TV에서 멋지게 나오던 실장님을 꿈꾸며, 임원 자리에 힘들게 올라왔는데 왜 내 몸은 브라운관 속의 수트가 잘 어울리고 피부가 광이 나는 그 모습 과는 정 반대인지 궁금했다. 1년 6개월이 지난 지금, 확실히 알게 되었다. TV속 대부분의 실장님은 회장님의 아들 또는 딸이었다. 태생의 여유로움과 일상 관리 능력은 그 자리의 긴장감을 이기고도 남으리렸다.

헬스 PT를 끊었으나 잘 가지 못했다. 운동을 하지 않는 몸이지만, 상황이 이러하니 운동의 필요성이 절실하다. 걷기든 헬스든 무엇이라도 해야 할 것 같다. 그래서 급하게 헬스PT를 끊었다. 그런데, 저녁에 갑자기 회식이 잡혀서 당일 노쇼다. 주말에 운동하려고 부탁해서 일정을 조정했는데, 월요일 회의 자료를 준비해야 해서 또 어렵다. 이래 저래 시간을 할애 하지 못하고, 운동의 습관으로 가려 했는데 갈 길이 너무 멀다.

매우 바빠지기 전에 운동의 습관을 만들어 두면 정말 좋을 것 같다. 운동 하던 사람은 어떻게 든 시간을 내어서 관리를 하는 것 같은데, 너무 부럽고 존경스럽다. 체력관리가 되지않으면, 하 고 싶은 일을 하게 될 때 기회를 놓칠 수도 있을 것이다. 바쁘기 전에 미리미리 운동의 습관을 만들어 두자.

회사는 내 몸까지 책임져 주지는 않는다.

4) 얻는 것 보다 잃는 것이 많다고 느껴진다.

하루 일정을 다시 봐도 매우 타이트하고, 책 읽는 시간, 운동하는 시간 등은 보이지 않는다. 이 와중에도 시간을 쪼개어 운동하고 책 읽고, 또 다른 취미 생활을 하는 부지런한 사람이 많다. 하지만 필자는 천성이 매우 긍정적이고, 밝고 맑은 단순한 성격에 저질 체력이며 잠도 매우 많은 사람이다. 그렇지만, 책임감과 사명감이 높은 원칙주의자이다. 만일 필자와 비슷한 이런 성향 일 때, 위 일정 들은 번 아웃 되기 매우 좋은 시간표이다. 단순 하게 몰입 하기 때문에 나의 거의 모든 에너지는 해당 일과에 집중하는데 쓰인다. 퇴근 후 몸과 마음은 너덜너덜한 채, 기계적으로 내일을 준비한다.

회사의 상황을 한번 가정해보자

- 상법이나 근로기준법을 위반해도 회사에서 보호해주겠다고 회유 하면?
- 회사사규에 의해서 진행되므로 외부 조사가 들어와도 문제없다고 장담 하면?
- 직속 팀장이 감사실 에서 감사가 와도 막아주겠다고 큰소리 치면?
- 이러한 상황에서 믿음을 가지고 나와 가족에게 피해가 안 가게 업무를 잘 수행 할 수 있을까?
- 무엇보다 가장 큰 문제는 실제 상황으로 문제가 생겼을 때 회사가 진정으로 직원을 보호해줄까?

유명한 누군가가 말했지. 너는 지금 어디 있냐고? 어디로 가고 있냐고? 또 누구를 위해 살고 있냐고? 가족을 위해 살고 있는이가 있을 것이고, 성취감과 보람을 얻기 위하여 달려가는 이가 있을 것이다. 우리 모두는

누군가를 위해 그 다양한 에너지와 나에게 주어진 소중한 시간을 직장에 할애한다. 자본 사회에서 아주 자연스러운 과정이며, 중요한 삶의 목표가 된다. 하지만 내가 원하 는 방향과 확연하게 다른 방향으로 가고 있다면 고민이 될 수 밖에 없다.

대답하기가 어려운 가정들이다. 고민이 많아 진다.

또 다른 회사의 상황을 가정해보자

- 체력 지수가 100점이 만점, 과락이 40점이다.
- 최근 근력 지수가 60점이고, 심폐 소생력도 50까지 떨어져있다.
- 다음 주 회의는 매우 중요하며, 끝나는 시점에는 근력 지수가 40점, 심폐 소생력이 30으로 하락할 것으로 예상이 된다.

한마디로, 과락으로 인해 다른 길을 갈 수도 있다는 얘기다. 그 뒤에도 회사가 나를 보호해줄까? 내 가족은 누가 챙겨주지? 물론 사람이 쉽게 잘못되지는 않는다. 다만 금방 쪄낸 잘 익은 보쌈에서 매우 건조한 육포가 되어 갈 뿐이다. 참는 것만이 능사가 아니다. 성취감과 보람이 더 이상 느껴지지 않고, 아침에 회사 가는 것이 점점 더 불안해 진다면, 심장이 뛰고 있을 때 미리미리 준비하자.

내가 원하든 원하지 않든, 결정을 해야 할 때는 반드시 온다

5) 개인 시간의 경계가 무너졌다.

"하루의 3분의 2를 자신을 위해 쓰지 않는 사람은 노예다. 가족이나 친구가 보고 싶어도 너무 바빠서 만날 수 없는 사람들이 노예지, 어떻게 삶의 주인이라고 할 수 있겠는가?" - 프리드리히 니체 -

니체가 위 질문을 했을 때, 나는 자신 있게 답을 할 수가 없었다. 자는 시간 외에는 내가 컨트롤할 수 있는 시간이 턱없이 부족했기 때문이다. 실제로 근로 소득자로 있으면서 제일 힘 들었던 것 중에 하나는 불규칙적인 업무 시간이었다. 새벽 6시부터 카톡이 울리는 건 애교에 속하고, 가끔 주말 급 일정이 전날에 연락이 온다. 오후 5시에 회의가 잡히는 경우도 종종 있 고, 밤 11시에 문자는 숙면을 어렵게 만든다. 휴가지 에서 밥 먹기 전 전화가 와서 식당에서 노트북 연 것도 지금 기억난다. 그 당시에는 급하고 중요한 건이겠지만, 개인 시간의 경계가 무너진 것은 사실이었다.

평소에는 휴가를 거의 쓰지 않고, 매년 크리스마스에 제주도에서 몰아서 쓰는 편이다. 한 해를 정 리하고 휴식하며, 내년도 자금 계획과 예산을 준 비하는 개인적으로는 매우 중요한 행사이고 시간 이다. 휴가 기간 동안 업무 공백이 생기지 않아야 하므로, 며칠 동안은 야근에 주말 근무에 바쁜 시 간을 보내고 출발하곤 했다.

몇 해 전 그해 만큼은 그런 나의 휴가가 탐탁지 않았는지 크리스마스 이브 날 오후 내내 회사로부터 연락이 왔다. 매년 마다 여유를 부리던 그 호텔 로비에서 몇 시간 동안 노트북을 켜고 업무 지원 을 하는 게 정말 낭만적이지 않았고, 이후 저녁을 먹는데 그 맛이 정말이지 씁쓸했다. 식사 중간 중간 카톡들은 그 시간을 더욱더 빛나게 만들었다.

회사의 업무는 당연히 중요하고, 나의 에너지를 최대한 쏟아 붙는 대가로 급여를 지급 받는다. 직업에 관계없이 힘들지 않은 사람은 없고, 직군 별 스트레스는 장르만 다를 뿐 어디에도 존재한다. 세상의 공짜는 없듯이, 비싼 급여는 그냥 주는 돈이 아니다. 나의 소중한 시간, 나의 열정 넘치는 에너지, 내가 포기한 내가 하고 싶었던 무언가, 그에 대한 대가가 매월 25일 은행으로 입금되는 것이다.

그런데, 일반적인 근로자가 제공하는 소중한 시간은 주 5일에 합계 40시간 까지 이다. 하루에 8시간이고, 근무시간은 9시부터 18시까지 이다. 주말과 평일 새벽 저녁을 제공한다는 내 용은 일반적인 근로자들은 어느 누구도 갖고 있지 않을 것이다. 만일 근무를 제공한다면, 야근 수당과 휴일 수당을 지급해야 할 것이다. 하지만 대부분은 18시에 칼

퇴근을 하고, 휴일에는 근무 하기를 희망하지 않을 것이다.

회사의 상황을 또 가정해보자

DAY1

오전 업무 회의가 예상 소요 시간인 1시간을 넘겨 2시간 30 분을 넘어가고 있다. 지금 오후 12시 30분이다. 배고프다. 17시경 마무리 업무를 하고 있는데 17시 30분에 갑자기 회의 시간이 잡힌다. 19시 인데 아직 안 끝나고 있다. 운전 하면서 퇴근하고 있는데, 카톡으로 몇몇이 회의 결과에 대해서 계속 얘기하고 있다. 자려고 누웠는데, 몇몇은 이미 나온 회의 결과에 대해 재차 물어본다. 내일 오전 회의를 10시에서 9시로 당기자고 한다.

DAY2

새벽 출근길, 카톡으로 현재 소송 진행 중인 건들에 대해서 논의 한다.
16시에 외부 회의가 있어 15시에 회사를 나섰는데, 19시에 긴급 회식 일정이 생겼다고 회사로 들어오라고 한다. 회사로 들어가기 어렵다고 하니, 그럼 내일로 미루자고 한다. 내일은 개인 약속이 있는데 변경 해야겠다. 그 다음 날로 긴급 회식이 확정되었다.

DAY3

저녁이 다 되어갈 즈음 누군가가 긴급 회식을 취소하자고 한다.
회식이 취소가 되었다. 개인 약속도 타로 취소되고, 긴급 회식도 취소가 되었다. 퇴근 하려는데 갑자기 누군가가 저녁 먹고 회의를 하자고 한다. 급한 건이라고 한다. 길어져서 22시에 회의 끝나고 퇴근한다. 집에 가니 23시 30분이다. 카톡이 또 울린다. 내일 회의 안건 변경이다. 씻고 1시에 잠자리에 든다.

...가정만 했는데도 고구마 100개 먹은 답답함이 몰려온다.

유독 회사에서 카톡과 회의를 좋아하는 집단이 있고, 그 집단은 화제를 잘 던지는 능력이있 다. 두 그룹으로 구분 지어보면, 일을 만드는 그룹과 일을 정리하는 그룹이 있다. 일을 만드는 그룹은 카톡과 회의를 좋아하며, 열정적인 측면이 있다. 일을 정리하는 그룹들은 상황을 분석 해서 솔루션을 만들어서 결론으로 귀결 짓는 능력이 뛰어난 편이다. 카톡과 회의가 어울리는 개미지옥 구간에서 살아남는 그룹은 주로 일을 만드는 그룹이다.

개미지옥에서 버텨낼 수 있기 위해서는 "I am sorry, but I can…"라고 할 수 있어야 한다. 필자처럼 완벽주의 성격이라 모두 잘하고 싶어서, 'No"를 잘 하지 못하게 되면, 할당된 시간이 초과되어 개인 시간의 경계가 무너질 수 밖에 없다. 조직에서 모든 것을 잘할 수도, 잘할 필요 도 없다고 생각한다. 중요도에 따라서 선택과 집중을 해야 할 필요가 있다. 그러므로 선택해 야 하는 상황이 오면 "I am sorry, but I can…"라고 반사적으로 말할 수 있게 미리미리 연습 하자. "미안합니다. 이번 참석(건)은 -때문에 어려울 것 같습니다. 대신 다음 회의(건)는 꼭 참 석 하겠습니다.." 라고 연습 해보자.

필자는 그렇게 잘 하지 못했었기에, 너무 많이 개인 시간의 경계가 무너져 버렸다. 지금도 후회되는 부분 중에 하나다. 시간을 지배하는 자가 세상을 지배한다고 했는데, 필자는 둘 다 지배하지 못했다. 더 버티는 게 더 유용했다면 당연히 더 버텼을 것이다. 개인 시간의 경계도 보완하려면 보완할 수 있었을 것이고, 건강도 조금씩 채워갔다면 어떻게든 더

40대에 퇴직할 때 준비할 것 10가지

있으려고 노력했을 것이다.

회사원들의 삶이 아닌, 타 직업인들의 삶을 들여다 보기 전까지는 그렇게 생각했었다. 시야 가 조금씩 넓어 지면서, 세상이 보이고, 그곳에 그들이 보이고 나니 생각이 바뀌게 되었다. 회사 원이 아닌 삶, 자유인, 그 매력을 느끼게 되었고, 하루라도 일찍 준비하는 것이 나에게는 유리 하다고 판단됐다. 더 늦게 되면, 준비하는 것이 더 힘들어지겠다고 생각했기에 더 미룰 수가 없었다. 후회해도 어쩔 수가 없었다. 내 선택이니 믿어야 한다고생각했다.

모든 회사원의 상황이 동일하지 않는 것처럼, 누구 에게나 주어진 시간과 에너지는 유한하지 않다. 버티는 와중에서도 언젠가 다가올 나의 미래에 대해서 고민하고 또 시야를 넓혀서 타인들의 삶의 관심을 가져보자. 더 나은 인생이 보인다면, 더 늦기 전에 적극 고민해보자.

세상에 꽁짜는 없다

이번 장에서는 퇴직 전 퇴직을 결심하게 된 배경에 초점을 맞추었고, 다음 장에서는 퇴직 후의 개인적인 변화에 중점을 둘 예정이다.

조직 관리 이론에 따르면 일반적인 업무 스타일은 크게 3가지로 나누어지는데, 리더형 과 분석형, 그리고 문제해결형으로 구분된다. 리더형은 추진력은 좋은데 귀가 닫혀 있는 편이고, 분석형은 정리하고 논의해서 결과를 도출하는 것에 능한 편이다. 대부분 직장인이 분석형에 속한다. 마지막으로 문제해결형인데 회사에서 조용히 지내므로 거의 눈에 띄지 않고, 업무 처리 능력도 언뜻 보기엔 뛰어나지 않다. 업무 평가 점수가 낮으므로 구조조정을 할때 항상 1순위에 이름을 올린다. 사실 문제 해결형의 직원이 기업에서 핵심 인재이다. 회사가 어려워지면 이 그룹부터 빠져나가므로, 조직의 난제는 점점 더 미궁으로 빠져들어간다. 그 다음 분석형도 하나둘씩 떠난다. 결국 마지막에는 리더형들만 남는다. 일반적인 조직의 생태계는 이러한 듯하다.

제2장 퇴직 후 변화

퇴직을 하게 되면 경제적인 측면 뿐만 아니라 생활 전반적으로 다양한 변화가 발생한다. 학교 다니고 회사 생활한 이후로 온전히 개인만의 시간을 가지는 건 처음이어서, 밀려오는 자유의 시간에서 허우적거리고 있을 거라 걱정했다. 다소 처음에는 불안하지만 시간이 지날수록 신기하고 재미있는 것이 생각보다 많다. 어떠한 다양한 변화가 있는지 필자의 경우를 참조하여 대비하자.

1) 퇴직 후 변화된 10가지

퇴직 후 실제로는 예상하지 못했던 다양한 긍정적인 변화도 꽤 많았다. 그중 주요한 10가지 만 정리하여 보면 아래와 같다.

1 수면 시간이 6시간에서 성인 평균 수명 시간인 8시간으로 증가했다

매일 저녁 12시경 취침 한 후 8시에 기상하고 있고, 평균 많이 잘 때는 9시간, 적게 잘 때는 7시간 정도 수면 하고 있다.

2 매일 오전 스케줄을 운동으로 채워 두었다

운동 스케줄로 필라테스, 수영, 헬스, 등산, 사우나, 자전거 등이 추가 되었다. 일주일에 필라테스 2회, 수영강습 2회, 헬스 사우나 등산을 1회 이상 운동하는 스케줄로 넣어 두었다. 평일 총 5회 이상 각종 운동으로 땀 흘리고, 주말 1회 이상 가족과 함께 가벼운 운동을 하는 것이 일반적인 일정이다.

3 필라테스 강습을 2년 가까이 했고, 수영 초급 강습을 시작하였다

필라테스를 매주 2회씩 2년 가까이 하고 있는데 갈 때마다 어렵다.필라테스를 1년반 정도 하고 나니 체력이 좋아져서 자유수영을 시작할 수 있게 되었다. 필라테스를 2년 하고 나니 체력이 좋아져서 수영 초급 강습을 수강 하게 되었고, 가벼운 등산도 시작하였다.

40대에 퇴직할 때 준비할 것 10가지

4 저녁 술자리를 없애고, 18시이후에는 항상 집에서 일정을 소화한다

저녁 모임과 술자리는 공식 모임(동문회 등)외에는 약속을 잡지 않고,대부분의 저녁 모임은 점심이나 오후 모임으로 대체하였다.일반적으로 12시-17시 정도에 모임을 진행한다.

점심으로 만나서 시간을 가지고 17시경 미국 주식시장 준비로 각자 헤어진다. 가족과 보내는 시간은 평일은 18시부터이고, 휴일은 하루 종일 함께 보내는 것으로 일정을 준비하였다.

5 경제 규모가 전체적으로 감소 하였다

소득액이 대폭 감소하였고 발생 비용도 감소하여, 경제 규모가 전체적으로 감소하였다. 근로 소득 대비 대폭 수익이 감소하여 가계에 지대한 영향이 생길 줄 알았다.

상대적으로 출퇴근 비용과 부대 비용이 감소하여 가계에 부정적인 영향은 있지만 걱정 대비 심각한 상황으로 이어지지는 않았다.

6 파이프라인이 2개에서 10개로 증가하였다

일부는 소득이 발생 중이고, 일부는 소득이 발생 예정이다. 대부분의 소득이 아직은 근로소득액 대비 미미하지만, 일부는 소득이 지속적으로 증가 중이다.

7 주식시장과 다양한 금융자산, 부동산 투자를 시작하였다

주식은 미국 주식시장 위주로 투자를 시작하였고, 상대적으로 변동성이 심한 기술주보다 배당주와 가치주에 비중을 많이 두어 안정성 위주의 포트폴리오로 구성하였다.

작년에는 수익률이 좋았지만 올해는 시장이 좋지 않고 변동성이 심한 상황이어서, 달러, 금, 원자재, 농산물, 채권, 비상장 주식에도 투자를 시작하였다. 수익보다는 손실을 최소화하는데 초점을 두어 운용하는 중이다.

또한 주식의 비중을 낮추고 현금흐름을 개선하기 위한 목적으로 상업용 부동산을 매입하였고, 많지는 않지만 매월 임대료 수익이 발생 예정이다.

8 법인 등기하고 법인 사업자를 등록 하였다

법인 회사 등기를 하였고, 법인세 혜택을 위하여 비 과밀억제권역에등기하였다. 현재는 수익이 많지 않지만 지속해서 증가 중인데, 재무 자문을 주 사업으로 하고 있다. 자문 결과로 확인되는 업무 시스템의 비효율적인 비용에 대한 개선안 및 솔루션 제안으로 추가 수익을 도모하고 있다.

현재 법인의 공식 업무 시간은 1주일에 12시간(4시간 * 3일)으로 운영하며, 업무 외 시간은 운동과 글쓰기, 외부 모임 등으로 할애하고 있다.

40대에 퇴직할 때 준비할 것 10가지

9 블로그를 시작 했고, 기반으로 책을 출간 하였다

네이버와 티스토리 블로그를 시작하였다. 블로그에 올린 일부
토픽을 기반으로 전자책 '40대에 퇴직할 때 준비할 것 10가지' 를 출간 하
였다. 이후 2개 정도의 책을 더 출간 예정이고, 브런치에 블로그 개설을
준비 중이다.

10 드로잉 클래스를 수료했고, 만든 이미지를 책에서 사용 예정이다

퇴직 전 배웠던 홍대 펜 드로잉 클래스를 다시 도전하여, 온라인 7주 코
스를 통해 펜드로잉 이미지 드로잉을 시작하였다. 후반부에 아이패드 이미
지 드로잉도 시작하여 또 다른 형태의 드로잉도 경험하게 되었다. 드로잉
결과물의 공개용으로 인스타그램을 개설 하였다. 몇몇의 이미지는 출간하
는 책에 삽화로 사용할 계획에 있다.

더 많은 변화 요소들이 있지만, 우선은 10가지 정도로 정리를 하였다.
회사 다닐 때보다 얼굴 혈색은 매우 좋아지고 에너지는 더 충만하니, 하고
싶고 할 수 있는 것들이 자꾸 늘어 나고(한강 모터보트 자격증?)있어서
현재도 기대 중이다. CFA 대신으로 투자자산운용사 시험을 올해 11월을
목표로 준비 중인데, 시험을 붙고 나면 상품성 좋은 사모펀드를 찾을
예정이다.

2) 퇴직하고 나면 더 바쁘다

퇴직하고 나면 실제로 더 바쁘다. 난 정말 정말 한가할 줄 알았는데, 어떤 때는 정말 정신 없이 바쁘다. 요즘 자주 쓰는 말 중에 하나가 "돈 버는 것도 없는데, 엄청 바쁘다" 이다. 여유롭게 카페 테라스에서 에스프레소를 마시는 걸 상상 했었는데, 지나고 보니 완전한 비현실적 인 환상이었다.

오늘 아침에 일어나면서 문득 든 생각이 '직장생 활 할 때는 시간이  정말 여유로웠지' 였다. '요즘은 사직서를 내고 1년이 넘은 자유인이긴 하지만 시간 이 너무 여유롭지 못한데 말이야', 라는 생각이 들었다. 이상했다. 믿기 힘들어서 하루 종일 내내 곰 씹 어 보는데, 머릿속에서 정리가 안되고 떠나가지 않는다. 왜 이런 생각이 드는 걸까? 당연히 아닐텐데 라는 생각과 함께 상식적으로도 그렇고, 실제 나도 그런데 계속 궁금하다.

회사에 다닐 때에는 새벽에 정신 없이 일어나서 아침 일찍 회사 출근 후 밤늦게 퇴근하고 쳇바퀴 돌듯이 반복이 일반적이다. 거의 매일 정신 없이 보낸 시간이 거의 몇 십 년인데 왜 이런 생각이 드는지 모르겠다. 회사일

외에는 아무런 생각도 하지 못한다. 운동은 커녕 퇴근 후에도 카톡 카톡 그룹카톡에 노이로제 걸릴 만큼 딴 생각은 하지 못한 채, 컨트롤 하지 못하는 나의 시간들을 뒤로 하고 뒤척뒤척 하다가 새벽에 졸린 눈으로 세수 하고 다시 출근 했다.

  팀 회식, 본부회식, 임원 회식, 본부장 회식, 신입 사원들 환영회 등 회식이 없는 날은 야근으로 시간을 보냈고, 회식 메뉴로 고 칼로리 음식이 대부분이며 폭식은 기본이다. 그러다가 밤늦게 들어가서 샤워도 하는 둥 마는 둥 하다가 또 꼬꾸라져서 자고 그러다 다시 새벽에 일어나서 출근한다. 아무리 트래킹 해봐도 왜 이런 생각이 드는지 도저히 판단이 안돼서 퇴직 후 현재의 상황을 주요 시간 및 이벤트 위주로 한번 정리 해봤다.

- 수면 시간이 8시간으로 증가하여 약 2-3시간 증가
- 스트레칭과 운동이 오전 스케줄에 추가됨
- 외부미팅(회식)은 저녁이 아닌 오후에 진행
- 저녁 식사는 가족과 함께 하고 저녁주식 시장에 잠시 야근

시간대 별로 자세히 한번 보자. 이벤트 별로 보더라도 많은 변화가 있다.

퇴직 전 시간 vs 퇴직 후 일정

시간대	퇴직전	퇴직후	변동사항
05:00~06:00	기상	수면	기상시간 8시간으로 증가 * 기존 수면 5시간
06:00~07:00	출근 준비		
07:00~08:00	사무실 출근		
08:00~09:00	오전 회의	기상/스트레칭	오전 스케줄은 대부분 집에서
09:00~10:00	보고서 검토 승인 주요 이슈 체크 신규 계약 검토	미국주식시장 정리 한국주식시장 체크 전일 수익률 정리	
10:00~11:00			
11:00~12:00		필라테스 수영 자전거 헬스	운동 시간이 스케줄에 추가
12:00~13:00	점심식사		
13:00~14:00	오후 회의 프로젝트 회의 참석 보고서 검토 승인 주요 이슈 결정	점심식사	외부미팅 있을경우 대부분 점심식사로 함께하여. 오후 스케줄은 유동적임 *저녁회식 불필요
14:00~15:00		-사무실- 외부미팅참석 한국주식마감 글쓰기	
16:00~17:00			
17:00~18:00			
18:00~19:00	야근 회식 외부미팅	-집- 저녁식사 샤워 및 휴식	저녁시간은 집에서 가족과 함께
19:00~20:00			
20:00~21:00			
21:00~22:00	퇴근	미국주식시장 준비 부동산 동향 정리 글쓰기	야근 아닌 야근중
22:00~23:00			
23:00~24:00	회의준비		

40대에 퇴직할 때 준비할 것 10가지

정리해보면 아침 6시 이전에 기상하다가 지금은 8시에 기상하고 있으니 수면 시간도 3시간 늘어났다. 출퇴근 시간이 왕복 기준 3 ~ 5시간이 소요 되었는데 지금은 없어진 시간이다. 현재 사무실은 집에서 도보 5분 거리이고, 오전 스케줄은 스트레칭과 운동 시간을 위주로 스케줄링 한다. 그리고 오후 스케줄은 대부분 사무실 업무로 진행하는데, 외부 미팅을 저녁에 하지 않고 점심 시간을 활용하여 길게 쓰고 있다. 저녁 식사는 외부에서 하지 않고, 집에서 가족과 함께 매일 먹고 있다. 야간 근무는 부득이 조금씩 하고 있는데, 미국 주식시장 오픈 전 기본적인 정보 들은 간략히 체크 중이다. 자유인 이지만 의외로 스케줄이 빠듯해 보인다.

출퇴근을 하지 않고 업무량도 줄어 들었으니, 상대적으로 여유로운 시간을 가질 수(드라마에 서 종종 보던) 있다고 기대 했었던 듯 하다.하지만 사직서를 낸 후 자유인은 혼자서 해야 할 것 이 많다는 것을 간과 한 듯 한데, 당연하다. 그런 생활을 해본 적이 없으니 미리 알 수가 없었다. 직장인일 때는 점심 저녁 모두 식당에서는 자리에 앉기만 하면 내가 원하는 모든 걸 주지만, 사직서를 내고 혼자가 된 자유인은 항상 외식을 할 수 없으니 직접 밥도 해야 한다. 정리 해야 하고, 설거지도 해야 하고, 회의용 리포트들도 직접 다 만들어야 한다. 외부 미팅 스케줄도 직접 다 짜야 하고, 밥 먹을 곳과 맛 집도 섭외 해야 한다. 또 사무실에 가 우편물도 확인해야 하 고, 등기소와 관공서도 직접 가야 한다. 노트북 수리도 직접 업체를 수배하고 맡겨야 하며, 책상 도 내가 직접 정리해야 한다. 그러다 보니 꼭 외부 미팅이 없더라도 차를 타고 돌아야 하는 외부 일정들이 자주 생긴다. 기억도 나지 않는 일정들도 생각보다 시간들이 많이 걸린다. 은행도 직접 간다. 신기한 경험이다. 자유인은 계속 생각해야 한다. 기본적으로 일주일 일정을 전주에 미리 준비해둔다. 중간중간 한달 일정을 정리하고, 수정되는 하루 일정들은 그때그때 대응한다.

잘 짜인 일정들은 나의 건강, 가족과의 즐거운 시간, 다양한 파이프라인, 맛있는 식사들을 보장한다. 준비하지 않은 일정들은 건강하지 않은 나의 몸, 가족과의 부족한 시간, 수입의 감소, 즐겁지 않은 식사로 나에게 화답한다. 물론 직장 생활 할 때에도 계속 생각해야 했었다. 앞에서 나를 공격하고 있는 이놈을 어떻게 반격하거나 방어 할 것인지, 방어를 하더라도 지능적으로 고급스럽게 티 안 나게, 이미 터져버린 저 복잡하고 나에게 불리하고 회사에도 불리하고 급기야 손실이 발생할 것만 같은 저 사건을 어느 놈에게 토스할지 고민한다. 어떻게 나의 성과를 최대 한 합리적으로 티 안 나게 다 끌어 모으고 부풀려서 내년도 연봉 협상을 더 잘할지 등이다.

억지로 나열해보면 이런 건데 나열하고 나니 조금은 허무하다. 내가 어떻게 기여를 했었지? 라는 생각 이 들어야 하는데, 정말 일다운 일은 어떤 걸 했는지 지금 당장은 기억이 잘 나지 않는다. 결론을 이렇게 한번 정리해 보았다. 직장인 vs. 자유인

직장인

시간은 바쁘지만, 내 것이 아니므로 강 건너 불 구경 할 때가 많고,
구경하다 보면 통장에 돈이 들어와 있다.

자유인

시간은 여유롭지만 내가 안 움직이면 아무것도 진행이 안 된다.
머리보다 몸이 먼저 움직이고 있으므로, 여러모로 건강 해진다.

3) 거울을 자주 보게 되었다.

퇴직 후 거울을 자주 그리고 오래 보게 되었다. 오늘도 면도를 하면서 거울을 한참 보다 보니 문득 낯설면서도 무언가 묘한 기분이 들었다. 누구지? 수년 동안 거울에 비춰진 나를 이렇게 자세히 본적이 있었는지 스스로에게 되물어 보았는데, 대답은 아니오다. 예 아니오를 떠나서 기억이 잘 나지 않았다. 수십 년간 항상 내 눈 앞에 아른거리는 애들을 다시 한번 곰곰이 생각해보면 이런 아이들 이었는 듯 하다. 그 안에 나는 없었다.

- LCD 블랙 모니터
- 프린트로 출력한 각종 서류들
- 빔으로 쏘아대는 프레젠테이션 화면
- 회의실에 앉아있는 사람들
- 아까 했던 얘기를 반복 하는 사람들

역시 대부분 회사에 관련된 주제들 이었고, 분명한 건 나의 모습이 아니었다는 것이다. 조 금은 서글픈 생각이 든다. 그 동안 내 얼굴조차 제대로 보지 않고, 그런 짧은 여유조차 없는 삶을 살고 있었다는 것이다. 현실적인 삶이었지만 조금만 여유를 가졌다면 그 정도로 심하지 는 않았을 것이다. 개인적인 성격도 한몫 했으리라 본다. 하나에 꽂히면 다른 것은 눈에 잘 보 이지 않는 단순한 성격, 그러다 보니 회사 업무 외에 일들은 크게 집중 못했는 듯 하다. 현실적으로도 제대로 여행을 가기도 어려웠던 것이 주말에 업무는 당연한 것이었기 때문에 여유 있게 여가

시간을 준비하고 보내기도 쉽게 마음이 허락하지 않았던 듯 하다.

　개인적으로 목욕을 매우 좋아한다. 마음 잡고 샤워 하면 대략 1시간 30분 이상 소요된다. 그러므로 매 일 맞추어서 하기에는 현실적으로 항상 시간이 부족 한 게 사실 이었다. 집에 오는 평균적인 도착 시간은 대략 22시 이고 다음날 새벽 5시에 일어나야 하므로, 주어진 시간이 한정적

이었다. 원하는 시간 만큼 씻지 못하고 살았단 얘기이다. 하고 싶었던 많은 것을 생략하고 진행 했었던 것으로 기억한다.

지금 문득 떠 오르고 있는 것 중 가장 첫 번째 확인된 것은 바로 거울이다. 거울을 보고 면도한 적이 거의 없었던 것 같다. 종종 바디샤워를 생략 하기 도 했었기에 샤워 후 상쾌한 결론에만 집중 했던 듯 하다. 찝찝함은 계속 간직한 채, 주말까지 그 상태를 유지 하였겠지. (개인적으로 여기서 약간 울컥)

　퇴직 후에는 내가 하고 싶은 데로 충분한 목욕 시간을 평소에 할애 할 수 있게 되었다. 그러다 보니 자연스럽게 거울을 자주 보게 되었고,

거울을 보면서 가장 많이 드는 생각은 내가 이렇게 생겼구나 이다. 그동안 미루어왔던 목욕 용품들에 대해서 관심을 가지며 하나 둘씩 준비를 하 고 있다. 지금 매우 행복하다. 가격도 많이 비싸지 않다.

거울을 자주 보게 되어서 내 얼굴을 잊지 않게 되어 정말 기쁘고, 깨끗하게 씻을 수 있는 시간이 주어져서 더 행복하다. 거울 속에 행복한 나는 멀리 있지 않으니, 독자 분들도 본인만의 소소한 행복 한 가지 이상은 찾게 되길 바란다. 그렇게 되면 필자도 덩달아 더 행복해 질 것이다.

필자가 생각하는 소소한 행복 3요소

깨끗하게 씻고
맛있는 거 먹고
보송한 이불에서 푹 자는 것이다.

몇 년 전 강원도 설악산으로 단풍을 보러 간 적이 있다. 곱게 물든 단풍을 보면서 운전해 가고 있던 중 갑자기 눈물이 솟구 쳤는데 한참 동안 그치지 않았다. 그냥 펑펑 울었다는 얘기인데 그때는 정확히 알지 못했다. 그냥 내 인생에서 처음 제대로 단풍을 봤었는데 너무 이뻤고, 이렇게 예쁜 것을 왜 이때까지 못 보고 살았는지에 대한 슬픔이 복받친 거로 단순히 이해했었다. 지나고 나서 생각해 보면 스트레스 받음을 잘 조절해 가면서 회사 생활하는 자신을 대견해 하고 생각하고 있었는데, 사실은 계속 쌓이고만 있었고 그냥 참기만 하는거였다. 사실 그때는 내가 예민한 성격인지도 몰랐다. 지금은 수시로 산을 간다. 단풍도 보고 초록색 나무들도 자주 본다. 모든 자연이 이쁘다. 행복은 멀리 있지 않은 듯 하다.

4) 동네 아저씨 1 2 3이 되었다.

　퇴직 후 느꼈던 부정적인 감정 중에 하나가 스스로에 대한 낮아진 자존감 이었다. "남자는 명함이 전부다" 라는 말을 너무 자주 들었다 보니, 배경이 없어진 후 자존감이 바닥을 치고 있었다. 이러한 부분을 해결하고 싶어서 여러 가지 측면에서 고민만 하고 있었다.

　필자의 퇴직 연령이 40대 중반이니 49.3세에 근접 했다는 것에 스스로 애써 위로도 하려 했었다. 하지만 위로는 전혀 되지 않았고, 후회와 자괴감, 패배자 등 좋지 않은 감정들이 몰려왔다. (회사에서는 60세 정년 퇴직할 경우 감사패도 준비 했었다) 나는 감사패도 못 받았으니 스스로를 바로 잡을 수 있는 무언가를 강제적으로 동원 해야겠다는 생각이 들었다. 그 무언가가 한 개로는 안될 거 같아서 다양한 아이템들이 필요했는데, 아래 사례를 겪으면서 아주 쉽게 간단히 정리가 되어 버렸다.

친구와 술자리에서 나눈 얘기이다. 근무 했던 회사가 대기업인지 중소기업인지 정말 구멍가게 인지 아무도 관심이 없다고 한다. 부장으로 퇴직 했거나 상무로 근무 했어도 퇴직하고 나면 누구나 그냥 동네 아저씨 1 2 3 라는 것이다. 내가 말이야 대기업에 상무야 상무, 안물안궁 이다. 지나가는 동네 아저씨의 얘기이다. 그냥 들을 때의 느낌은 존재감이 희석되고, 효능감이 거의 제로에 가깝다. 관심 받지 못하는 배 나온 아저씨는 안물안궁에 익숙해야 져야 하고, 이상적인 것은 그 상황을 즐겨야 하지만 생각만큼 쉽지만은않다.

그런데 역설적으로 생각해 보면 인생이 매우 편해지는 단계이자 상황이다. 존재감이 없으니 옷도 크게 꾸미지 않아도 된다.물론 세수는 해야 하지만, 세수 안하면 다른 장르의 존재감이 높아질 수 있다. 효능감이 없으니 상대적으로 크게 힘을 들이지 않고도 특정한 부분에서 성취감 을 가져갈 수도 있다. 하고 싶은 것들을 눈치 안보고 할 수 있게 된다. 조용히 매너 있게 먹고 마시고 가면 아무런 제약이 없다. 더 관심 가질만한 이유도 존재하지 않으니 배우고 싶은 공 부도 공공 도서관에 가서 얼마든지 할수 있다.

일반적인 혼술 혼밥 혼책 낮술 혼커피 등, 나른한 오후 한가한 카페

에서의 에스프레소 한잔 과 책은 돈을 주고도 살 수도 없는 내 소중한 모우먼트다. 눈치 보인다고? 내가 대기업 직원이 라서? 상무라서? 대기업 우수 사원 이라서? 누가 물어봤냐고, 아무도 궁금해하지않는다. 그냥 손님이자 동네 아저씨 1 2 3 이다.

이제는 주연의 무게감 에서 벗어나서 엑스트라의 여유와 편안함을 만끽하자. 아무도 궁금해 하지 않으니 사인을 해주지 않아도 된다. 관심이 낮아지니 조용하게 혼자만의 버킷리스트에 몰입하기 좋은 시간 들이다. 나에게 주어진 소중한 시간을 후회 없이 Vivid하게 사용하자. 자존감은 굳이 높이지 않는게 서로 편하다는 것을 알게 되는 타이밍이다.

> **엑스트라의 여유와 편안함을 만끽하자.**
> **애초에 사회적인 자존감은 과대계상 되어 있다.**

5) 인맥 버스를 환승 하였다

퇴직 초기 때는 기존 회사에서 친하던 직원들에게 연락을 하고 만남도 여러 번 가져 보았다. 근무할 때처럼 항상 재미있고 즐거운 시간이 지속될 것으로 예상했었는데, 만남을 이어 갈수록 대화의 주제는 한정 되고 서로의 생각은 평행선을 그리고 있었다. 자유인의 삶을 알지 못하는 일반적인 직장인들은 회사는 언제 구할 건지만 꾸준하게 물어본다. 직장인은 원래 얘기하던 주제인 회사 얘기를 계속 하고 싶은데, 자유인은 사실 직원들 이름 조차도 기억이 잘 나지 않는다. 오히려 자유인은 퇴직 후 얻게 된 시간의 자유와 생각보다 무척 넓은 세상에 대하여 공유하고 싶어한다. 대화는 점점 맴돌고 있고, 술 먹는 속도도 이제는 서로 달라져 있다.

누구나 항상 타던 버스가 여전히 마음은 편할 것이고, 기존 인맥들 과도 관계를 유지하고 싶을 것이다. 그 인맥들 중에도 유독 잘 맞는 멤버가 있다면 함께 병행해도 무방할 것이다. 하지만 대부분의 승객 과는 이미 목적지가 달라짐에 따라, 생각의 방향과 시야의 범위에서 크게 차이가 생긴다. 서로의 관심사도 다르니 생각을 맞춰가는 과정이 쉽지 만은 않고, 무엇보다 의지가 없다. 원하든 원하지 않든 버스는 목적지에 따라 일단 옮겨서 타야 한다.

필자의 중 고등학교 시절 학교를 걸어가거나 몇 정거장 되는 거리를 버스를 타고 다녔었다. 집에서 버스 정류장까지 멀지 않았고, 버스는 자주 왔기 때문에 탑승은 크게 어렵지 않았다. 버스를 타게 되면 버스 안은 나와 같은 학교에 있는 학생들과 근처 학교 학생들이 뒤섞여 있었는데, 학교 앞 정류장에 내리면 우르르 몰려가던 친구들이 아직 눈에 선하다. 그때 함께 버스에 있었던 친구들 중 몇 명은 지금도 친하게 지내고 있고, 만나면 할 얘기가 끊어짐이 없다. 특별히 하는 거 없어도 시간 가는 줄 모르고 재미있게 논다.

지금 나는 어떤 버스를 타야 하는 것일까? 회사 다니면서 수십 년간 함께 했던 나의 동료들, 상사, 직원들은 항상 웃으면서 친절하다. 내가 힘든 일 생길 때 항상 도와주고, 관심 가져 줬다. 내가 힘들 때 내 곁을 끝까지 지켜 줄 것 같았던 사람, 아니 지켜 준다고 했던 사람들이다. 하지만 그들 대부분에게 지금은 연락을 하기가 두렵다. 괜히 주눅 들고 마치 돈 빌리는 사람, 술 사달라 하는 사람, 일자리 부탁 하려는 사람이 된 것 같은 느낌을 받는다. 동상이몽이다. 난 술도 내 돈으로 마시고, 일자리도 사실 알아서 잘하고 있는데 말이다. 사실 나는 그들에게 그냥 평소처럼 궁금하고 해서 잘 지내고 있는지 안부차 전화 하는 것이다. 그러다 보니 연락이 된다고 하더라도, 선뜻 편하게 얘기하기가 쉽지 만은 않다. 괜히 헤어진 연인 같은 느낌이 들어서 선뜻 연락하기 힘든 그런 느낌이랄까? 느낌을 그려 보자면,

나는 이미 학교 가는 버스를 타고 내렸는데 행선지가 다른 사람에게 너도 내려보는 게 어때 얘기하는 거 같다. 일반적으로 버스를 타고 내리면 기존 탑승객들은 눈만 멀뚱멀뚱 앞으로만 본다. 하차한 나에게는 전혀 관심이 없다. 오로지 그들의 행선지 에 만 관심이 있다. 옛날 내가 탔던 버스의 탑승객들에게 내리라고, 보고 싶다고 질척 거리고 있지는 않은가? 그러고 있다면, 과감하게 버스를 환승 해라.

사실 퇴직한 임직원들을 만나는 게 더 편하고 얘기할 내용도 많다. 실업급여, 종합소득세, 사업소득, 부동산 투자, 현금흐름, 건강보험, 비즈니스 아이템 등 할 얘기가 무궁 무진 하다. 몸 담았던 회사의 소모적인 얘기는 더 이상 그들의 관심사가 아니다. 사실 무의미한 지나간 연인의 얘기다. 퇴직 후 관심사의 대부분은 나의 건강, 나의 가족, 나의 수익, 나의 비즈니스, 나의 여행 등 인생의 본질적인 주제로 바뀌어져 간다. 서로의 시행착오를 공유하고, 유용한 투자 정보를 함께 나눈다.

매우 즐겁고 유익한 시간이다.

새로운 버스들의 승객들이 나를 기다리고 있다. 퇴직자 버스, 대표들 버스, 부동산 버스, 그림 버스, 수영 버스, 필라테스 버스 등 환승할 버스는 무궁무진 하다. 처음에는 긴장도 되고 새로운 주제가 낯설어서 무슨 말부터 해야 할지 걱정될 것이다. 필자의 경험으로 비추어 볼 때, 그들은 처음 보는 나를 진심으로 환대를 해주고 따뜻한 차를 내어준다. 관심사가 비슷하므로 시간가는 줄 모르고 유용한 정보를 선뜻 나누어 준다.

서로에 대하여 존중하고 다양한 정보를 배워 가는 시간이 불안했던 나를 든든하게 만들어주고 있다. 독자들도 지금부터 새로운 버스를 찾아서 환승을 시도 해보자. 세상을 보는 시야가 넓어 질 것이고 그 막연한 불안감은 자신감으로 화답 해줄 것이다.

새로운 목적지를 향해 과감하게 버스를 환승 해라

6) 모임의 변화가 생겼다.

   퇴직하거나   인맥 버스의 환승이 이루어지면 모임도 그에 따라 자연스럽게 변화가 발생한다. 긍정적인 방향으로 갈 수도 있고 부정적 일수도 있는데, 잘 이루어진 버스 환승은 즐거운 모임으로 귀결될 가능성이 매우 높다. 시간 별 그룹별로 모임의 변화를 정리해보았는데 그 자연스러운 변화가 더 자세히 이해가 되고 있다.

   필자가 회사를 다녔을 때 나의 주 모임멤버는 김상무 김이사 김부장 김본부장 협력회사 김사장 등이었다. 거의 매일 회의하고 밥도 먹고 술도 먹고 사우나도 가고 주말 이면 골프도 치러가고 집안 대소사와 부모님도 서로 챙긴다. 항상 서로의 건강을 챙기는데 조금이라도 아픈 기미가 보이면 눈 주위가 글썽글썽하다. 하지만 지금은 내 이름조차 기억하는지 궁금해진다. 이름 정도는 기억하겠지? 버스를 환승 할 때 즈음이면 함께 하던 승객은 이미 친구의 형태는 약해져 가는 듯 하다.

   필자가 생각하는 동료와 친구는 이러하다. 동료와 친구란 단순히 같이 일하고 술 마시고 만나기만 하는 관계가 아니다. 자기 감정과 의사 표현을 하고 상대방에게 싫은 소리도 좀 해야 하는데, 무엇보다 상대방이 받아줄 거라는 확신이 있어야 한다. 하고 싶은 얘기나 의견을 낼 때 멈칫하거나 고민되면 그때부터가 동료와 친구라는 범주에 대하여 좀 더 고민을 해보아야 할 것 같다. 지인, 동료와 친구는 언제든지 상황에 따라 변동될 수 있음을 이해 해야 할 것 같고, 공통적인 주제의 변화에 따라 관계의 정립은 유동적으로 변경된다고 보는 게 더 정확할 것 같다.

사실 럭셔리한 이사회 모임도 멋있긴 하지지만, 수영 뒤풀이 모임이 오히려 내 인생에 더 큰 도움이 될 수도 있다. 운동으로 건강이 좋아짐은 물론 뒤풀이에서 만난 모임 멤버가 몇 년 뒤 같은 회사 이사회 멤버가 될 수도 있는 것이 현실이다. 모임 멤버 3명만 모여도 웬만한 중소기업의 자산보다 더 많을 수 있는 것도 사실이다. 잊지 말자. 비즈니스는 멀리 있지 않다. 내 주위에 자연스럽게 오가고 있다.

처음에 좋아 했던 이유가 헤어질 때 싫어 지는 이유가 된다.

항상 함께 하는 친구

학창 시절 때는 가족 또는 친구들과의 모임이 대부분이다. 사회 생활 전에는 대부분의 사람들과 마찬가지로 친구가 많았다. 한 동네에서 초중고등학교를 모두 다녔기에 여기저기 다니다가 동창들을 마주치기 일쑤다. 우연히 만나서 오락실도 가고, 야구도 하러 가고, 독서실도 가고, 가끔 버스 타고 멀리 놀러 가기도 한다.

사회 생활 시작하는 20대 중반이나 후반 즈음부터 하나 둘씩 연락이 잘 안되거나 만나는 모임 횟수가 줄어든다. 30대에는 그래도 동문회니 과모임이니 해서 있더니 40대에는 그 조차도 나갈 시간이 없고 만나러 갈 기력도 없어진다. 지금도 SNS나 한 다리 건너서 소식 들으면 겉 보기에는 모두 잘 살고 있다. 단지 바빠서 정신이 없고 크게 아프지는 않지만 노화는 모두들 이미 시작이 되었다.

한참 일하고 있을 40대에 퇴직하고 나니 낙동강 오리알같다. 회사의 친구는 이미 환승 해서 다른 회사로 갔고, 동네 친구에 앞서 동네 자체도 낯설다. 내가 살던 동네는 이미 추억 속에 있고, 지금 현재의 동네는 아파트만 있다. 아파트 정원을 걸어봐도 친구는 커녕 오가는 사람도 없다. 지하 주차장 에만 사람들이 오간다. 애써 자전거를 타고 산책을 해도 나 혼자다. 동네 친구들은 지금 회사에서 근무 중이고 또 다른 아파트의 지하 주차장만을 오가고 있다. 어느 누구도 40대 퇴직자를 선뜻 관심 가져

주지 않는다.

　고등학교 때 오락실에서 자주 함께 총 쏘던 친구 K가 있다. 필자는 사실 게임을 잘 못하는데, 이 친구는 백발 백중이다. 카트라이더도 금메달이다. 매우 부럽다. 지금도 수시로 동네에서 만나고 있는데 항상 필자를 잘 챙겨주는 매우 고마운 친구 이다. 대학원 공부가 너무 힘들다고 수업이 끝나자 마자 달려갔고 회사가 너무 힘들어서 내일 바로 사표 쓰겠다고 객기를 부렸다. 포기 하겠다고, 도망가겠다고 말할 때도 묵묵히 들어 주던 친구인데 심지어 최근에는 회사 일도 종종 함께 하고 있다.

　비즈니스면 비즈니스, 또 개인적인 일은 개인적인 데로 나의 반 평생 히스토리를 모두 꾀고 있어서 척하면 척이다. 짜증 내고 회피하고 싶은 순간이 무척 이나 많았을 텐데, 옆에서 묵묵히 도와주는 친구가 너무도

감사하다. 그런 그와 현재 추가적인 비즈니스를 모색 하고 있고, 지속적으로 함께 진행할 수 있는 아이템을 고민 중이다.

또한 친구K는 헬스를 매일 하고 있는데, 출간 후에는 시간을 내어서 오전부터 몇 시간 동안 같이 운동할 생각에 벌써부터 기분이 좋아진다. 새롭게 발견한 휘트니스는 운동 기구도 좋고 시설도 깔끔해서 한번 가보려 했는데, 다음 주에는 갈 수 있을 것이다. 운동 후 먹게 될 고단백질의 맛난 음식들은 창작의 고통에 대한 보답이 될 것이다.

여하튼 아직은 비즈니스의 시작 단계이지만, 함께 미래를 고민하고 있는 그 자체만으로도 행복한 시간이다. 미션의 결과가 추후 좋을 수도 있고 나쁠 수도 있겠지만, 현재 외롭지 않아서 좋고, 그 과정에서 배울 수 있는 부분도 매우 많다고 생각한다. 어릴 때는 술 마시고 노는 것에만 집중 하였다면, 나이 든 지금은 서로의 미래를 함께 고민 하는 것도 친구의 품격이라 정리해 본다.

> 친구가 없는 인생은 혼자 가시 덤불을 걸으면서 가는 쓸쓸한 가시밭길이라고 한다.

20년 만에 만나게 된 친구

연락이 오래도록 끊어졌던 친구들이 최근 다시 약속이 잡히고 있는데, 심지어 저번 주말에 거의 20년 만에 대학교 친구들을 보게 되었다. 전국에서 오기 때문에 중간 지점으로 대전 근교 계룡산 어귀에 숙소로 캠핑장을 1박 2일 예약 해서 느긋하게 만나고 왔다. 고기도 무한리필로 제공이 되고 밥과 된장도 주신다. 심지어 아침에 라면도 제공 되었기 때문에 준비에 대한 부담도 없고, 세면도구와 수건만 가지고 대전으로 가게 되었다.

처음에는 만난다는 게 너무 오래돼서 실감이 안 났는데, 날짜가 다가와 질수록 살짝 흥분이 되었다. 실제로 만났을 때는 20년 이란

시간이 무색 할 만큼 한 달전 쯤에 만나고 다시 만난 느낌이었다. 살은 조금씩 찌고 세월이 조금씩은 느껴지지만, 모두 관리를 잘한 건지 얼굴도 그때 그대로이고 특히 목소리는 얼굴이 없어도 알 수 있을 정도였다. 밤이 새도록 고기 굽고, 술 마시고 밀린 얘기를 하는데, 무척이나 재미있고 오랜만에 편안한 시간을 보내고 왔다. 특히 내가 기억 하지 못하고 있던 우리의 추억을 친구들을 통해서 소환 되고 나니 한참 동안 조용히 잠자고 있던 스스로의 존재가 다시 세상으로 나온 느낌이다.

나도 나지만 모인 친구 중 학창시절 가장 조용했던 친구인 U의 반전이 나는 가장 신기했다. 게임을 한다고는 생각지도 못했는데, 술 마시는 도중 중간중간 전투 전략을 수정하는 날렵한 손 놀림에 연신 감탄했다. 심지어 매우 잘한다. 신기하고 부러웠다. 그리고 운동을 안 가리고 모두 다 잘한단다. 특히 탁구와 농구는 선수 급 이라고 한다. 더 놀라웠고 현장에서 직접 관람 하고 싶어졌다. 라면 끓이는 스킬도 선수 급인데 처음에는 꼬들하고 끝으로 갈수록 부드러워 져서 이보다 더 맛있는 라면은 없다고 친구들 모두 격찬을 아끼지 않았다. 그런 친구가 헤어질 때 부업으로 농사지은 배를 나눠 주었는데 최근 먹은 배중 에서 가장 맛있다. 과즙이 달고, 크기도 적당하고, 입자도 매우 부드러워서 먹는 내내 몇 개 더 받아올걸 아쉬움이 남는다. 거기다 친구가 농사지은 배를 지금 먹으면서 글을 쓰고 있다니, 기분이 묘했다.

자주 서로의 집을 방문하여 밤새도록 술 먹고 얘기하고 자고,

그 다음날 다시 또 술먹고, 놀러 가고 함께 시간을 보내던 S는 여전히 그만의 날렵함이 눈에 낮 익는다. 학교 체육대회에서 달리기 대표로 출전했던 그는 최종 계주에서 과의 승리를 안겨 줄 뻔 하였으나 근소한 차이로 아깝게 석패 한 것이 아직 까지도 기억에 많이 남는다. 그런 그가 고기를 또 잘 굽는다. 학창 시절 때에도 그랬지만 본인만의 노하우가 있어서 요리 돌리고 저리 돌리고 계속 뒤집어 주면 어느 시점에 겉과 속이 잘 구워진 결과물이 접시에 담겨 온다. 그때도 맛있었고, 지금은 더 맛있어 졌다. 세월이 흐르며 더 고기 굽는 스킬이 좋아진 듯 하다. 쪼그려 앉기를 매우 좋아해서 이번에도 자주 볼 거라 생각했지만, 그러하지 못한 것이 헤어진 뒤에 생각이 유독 많이 나는 건 곧 다시 보게 되리라는 암시인 것으로 미루어 짐작해 본다.

학창시절 과에서 1등을 내놓지 않고 항상 유지하던 모범생이었던 D는 여전히 그 모습을 간직하고 있었고, 말과 행동에서 느껴지는 그 절제의 유려함이 아직까지도 보는 사람의 마음을 설레게 한다. 그런 그도 반전이 있었는데, 유일한 흡연가이고 술도 가장 잘 마신다. 옆에 앉을 때가 많아서 어떻게든 속도를 맞춰 보려 노력 했지만, 필자가 따라 갈수 있는 스피드가 아니다. 결국 사온 술들의 대부분은 모범생의 배속으로 들어갔다. 공부도 열심히 했는데 술도 잘 먹는 그 모습이 보는 내내 마음이 든든하다. 그런 그가 주식 얘기를 꺼냈을 때 눈이 초롱초롱 하게 빛나는 모습을 보니 수익률도 아마 잘 만들어가고 있을 것 같고, 사업적인 아이디어에도 관심이 많은 것을 보니 앞으로 서로 할 얘기가 많을 것으로 예상이 된다.

다녀오고 나니 여운이 생각보다 진하게 오래 남는다. 퇴직 전후로 무척이나 외롭고 막막한 시간을 보내고 있었는데, 내가 겪었던 고민과 고통들과 힘들었던 과정을 비슷하게 거쳐왔고, 또 준비해야 하기에 서로 공감하고 위로가 되는 시간 이었다. 친구가 없는 인생은 가시덤불을 걷어내면서 걸어가는 외로운 가시밭길 이라고 했다. 독자들도 한참 못 보고 있거나 보고 싶었던 친구가 생각날 때, 머뭇거리지 말고 연락해서 만나보자. 친구도 기다리고 있을 것이고, 오랫동안 기억 못하고 있던 소중한 내가 다시 소환 될 것이다.

오랫동안 못 보고 지낸 친구가 계속 그립다면,

참지 말고 연락해서 만나보자. 친구가 기다리고 있을 것이다.

그리고, 우리 인생이 생각보다 길지 않다.

40대에 퇴직할 때 준비할 것 10가지

수영 모임

영어 스피치 모임에서 만나고 있던 친구가 수영을 매우 좋아 한단다. 수영을 매우 좋아하는 그 친구를 편의상 B로 부르겠다. 몇 달 동안 B가 필자에게 수영을 같이 가자고 했는데, 수년간 하락된 나의 체력이 엄두가 나지 않아 계속 미루고 있었다. B가 나에게 지속적으로 제안한 건, "수영을 못해도 괜찮다. 물에 빠져도 내가 구해줄 수 있다. 내가 전생에 물개였다" 이다.

어느 날 정말 큰 용기를 내어 수영을 제안 했고, 흔쾌히 B는 가자고 했다. 동네 시립체육센터에 One Day 쿠폰으로 입장을 하고 여러 가지로 놀랐다. 첫 번째로 하루 자유 수영 입장료가 3,500원이라서 깜짝 놀랐고, 특히 B가 목욕탕 보다 싸다고 좋아했다. 두 번째로 사람들이 많지 않고 한가해서 좋았고, 어떨 때는 한 레인에 한 명씩 있어서 정말 느긋하게 수영할 수 있었다. 세 번째로 햇빛이 따뜻하게 물을 비추고 있어서 마음이 너무 편안했다. 마지막으로 더더욱 놀란 건 B가 정말 물개였다. 힘을 거의 안 쓰고 부드럽게 팔을 돌리는데, 쉬지도 않으면서 수십 바퀴를 돌고 있었다. B는 오래도록 수영을 해 온 듯 하다. 매우 든든하고 멋있어 보였다. 몇 개월이 지난 지금, 매주 화요일 점심 수영을 함께 다니고 있고, 수영이 끝난 후 점심을 길게 먹고 있다. 그 시간 동안 수영얘기, 투자정보, 음식얘기 등으로 시간가는 줄 모른다. 사실 B는 전업투자자로 재미있는 고급정보가 매우 많다. 다음주 화요일이 지금도 기대되고 있다.

친구 B가 가구 사업자 T를 수영 모임에 데려온 날은 한 달 남짓 된다. 수십 년 간 수학교육 업계에서 한 획을 그었고, 조기 은퇴를 한 케이스이다. 지금은 가구 사업에 많은 에너지를 쏟고 있어서, 필자와 함께 할 수 있는 추가적인 비즈니스도 기대 중이다. T도 수영을 좋아하고 잘해서 역시 물개란다. 수영을 좋아하는 사람을 만나는 게 이렇게 기쁜 줄은 몰랐다. 이때부터 3명이 매주 수영장을 간다. 우측에 물개 1명, 왼쪽에 물개 1명, 중간에 초보자 이렇게 레인을 확보한다. 오늘도 햇볕은 따뜻, 물은 깨끗하고, 몸은 점점 건강해진다. 수영이 끝난 후 예전보다 더 길게 점심을 같이 먹고 있다.

T는 새로운 곳을 가는 모든 것을 여행이라고 표현한다. 일반적으로 속초, 강릉, 부산 등 바닷가라도 가야 여행인데, 새로운 사업인 가구 비즈니스를 준비하는 동안 가구 공장에서 6개월간 일한 경험도

여행이라고 한다. 가구 사업을 시작한 사업가에겐 새로운 곳에 새로운 경험이니 그 자체가 여행이라는 의견이다. 존경 스럽다. 경치 좋은 곳만 여행이 아니라 내 삶을 더 풍요롭고 가치있게 만들어 주는 그자체가 여행의 품격이 아닐까 싶다. 여하튼 대화의 주제는 수영과 금융자산투자는 기본, 탁구도 좋아해서 종종 나온다. 다방면으로 구축한 지식이 풍부한 T는 네이버 지식인보다 훨씬 빠르게 정보와 상식을 알려준다. 얘기 주제가 더 풍부해진 지금 수영 모임이 너무너무 기대되고, 우리 회사와의 비즈니스 모델도 계속 고민 중이다. 회의와 노는 시간 그 중간 즈음이 지금 나의 평일인 화요일 일상이다. 좋아하는 취미와 비즈니스를 함께 하는 것 만으로도 즐겁고 유용한 시간이다.

지금의 모임이 단순하고 패쇄적인 형태 였다면 조금 이라도 서로의 공통적인 관심사로 관계를 확장해보자. 예를 들어 사우나를 좋아하는 동료나 친구가 있다면,사우나를 같이 가보자. 돈독해 질것이다. 자전거에 관심 많은 멤버가 있다면 자전거를 함께 타고, 산책을 좋아하는 친구가 있다면 술만 마시지 말고 산책도 같이 해보자. 투자에 관심 많은 모임 멤버가 있다고 하면, 주주총회를 함께 참석해 보자. 대화의 주제와 시야가 함께 넓어질 것이고, 관계는 더 유연해 질것이다.

> **취미와 투자를 함께 할수 있는 친구가 있다면,**
> **오래오래 대화할 주제가 차고 넘칠 것이다.**

퇴직자 모임

　퇴직한 임원과 직원들을 때때로 만나고 있는데, 모시던 임원 분들과도 시간을 자주 가지고 있다. 퇴직한 임직원 이거나 퇴직을 준비 중인 임원과 직원들을 만나면 사실 공통적인 주제가 다양하게 있어서 얘기할 내용도 많다. 가장 기본적인 실업급여부터, 부동산 투자, 금융자산투자, 건강보험, 이후 현금흐름, 사업 준비 등 할 얘기가 무척 많다.이 책에 쓰여진 토픽 들도 이 모임에서 얻은 정보들이 꽤 있으며 만날 때마다 유용한 정보들이 넘쳐 난다.

　퇴직 후 관심사의 대부분은 개인적인 건강, 가족, 수익, 부동산, 비즈니스, 금융투자, 여행 등 본질적인 문제로 바뀌어져 있기 때문에 서로의 시행착오를 공유하고, 유용한 투자 정보는 함께 나눌 수가 있어서 매우 유익한 시간이다. 관심사가 대부분 비슷하기 때문에 대화는

끊어지지 않고 지속 된다.

필자는 내년에 이탈리아 한달 살기를 준비중 이다. 이탈리아를 몇 해 전에 다녀오신 대표님의 어드바이스를 상세히 받았는데, 예상치 못했던 로마 남부의 소도시들의 매력을 알게 되어, 행선지로 추가 중이다. 사진을 보니 정말 예쁜 곳이 많았다. 어드바이스를 받지 않았더라면 몇몇 도시에만 머무르다 이런 좋은 기회를 놓칠 뻔 했다. 서로 건강도 챙기고, 안부도 물으면서 가끔 예전 회사 동향도 공유한다.

모시던 분 들을 만난다는 게 어떤 측면으로는 조금은 불편할 수도 있겠지만, 그분들의 양질의 지식과 노하우를 배울 수가 있는 자리여서 그 불편함을 상쇄 하고도 충분한 남음이 있다. 무엇보다도 건강하게 시간을 유의미하게 보내고 계시는 모습을 보게 되면 스스로도 동기부여가 많이 되어서 더 뜻 깊은 자리가 된다.

회사 다닐 때 존경했던 분들이거나 유독 친한 사람들이 퇴직했다면 이후에도 연락하고 한 번씩 만나보자. 필자의 경우에는 존경했던 분들은 업무를 떠나서 사회적으로도 등대 같은 역할을 해주고 계셔서 퇴직 후에도 항상 배움 받음에 감사하고 있다. 또한 이후에 퇴직하는 직원들이 궁금한 내용을 물어 보면, 적절한 정보를 자세히 알려 주어서 퇴직 후 생활에 잘 적응할 수 있도록 도와주자. 매우 보람찬 시간이 될 것이다.

집안에 노인이 없거든 빌려라 라는 그리스 격언이 있다. 나보다 더 긴 시간을 살아오면서 느끼고 축적된 인생의 노하우는 경험하지 않고서는 쉽게 배울 수 있는 것이 아니다

40대에 퇴직할 때 준비할 것 10가지

법인회사오너들 모임

필자의 공유 오피스에는 다양한 산업 군의 대표들이 업무를 하고 있는데 정보의 꿀 단지다. 산업 군이 다양하므로 여러 가지 정보를 접할 수 있고, 새로운 비즈니스 기회들도 눈에 자주 띈다.

특히 내 옆자리 K대표는 프로그래머이자 자전거 라이딩 전문가이다. 부산에서 서울까지 저녁부터 새벽까지 자전거를 타고 올라오는 첼린지를 성공했다. 앱에 기록한 내역을 보고서도 믿기 힘들었는데 거의 400km 를 잠도 안자고 저녁부터 밤새도록 달려서 올라 왔단다. 현실적으로 매우 믿기는 어렵지만 수영 강습을 매일 저녁 가는 운동 스케줄을 볼 때 그럴 수도 있겠다고 믿고 있다. 심지어 K대표의 개발 중이고 런칭 준비 막바지인 앱도 자전거 관련 앱이다. 힘든 시간 이지만 그의 얼굴에는 웃음이 떠나가지 않는다.

그 K대표와 친한 오피스 H대표가 드디어 자전거를 구매했다. 거의 천만 원이라고 하는데 무게가 매우 가볍고 케이블이 내장되어 엄청 깔끔하다. H대표의 본업은 부동산 중에 토지, 그 중에서도 택지 전문가이다. 한 번씩 노하우를 설명해 주시는데 전문가를 가르치는 전문가의 수준이다. 실제로 투자를 신도시 내에서 여러 군데 하셨고 수익률이 꽤 높은 것으로 보인다. 필자도 내년에는 부동산 투자로 택지를 도전해보고 싶어서 지속적으로 정보를 공유 중이다

그러한 K대표와 H대표, 나 이렇게 3명에서 최근 자전거 라이딩을 했다. 두 분의 자전거는 속도 빠른 로드 이고 나는 산악용 MTB를 탄다. 속도가 매우 다르다. 느린 나의 자전거 스피드에 맞추어서 주변 공원과 강변 약 30km를 달렸는데 내가 평소에 타던 거리의 두 배는 탄 거 같아서 하루 이틀 근육통이 생겨서 놀랐다. 사실 자전거를 타는 것은 거의 운동이 안 된다고 생각 했는데 이날은 거리도 길었고 속도도 평소와 달랐나 보다. 여하튼 더 빨리 달릴 수 있는 자전거였음에도 불구하고 느린 나의 자전거 속도를 맞춰 주셔서 너무 감사했다. 그리고 끝나고 소고기도 사 주셨는데 너무 맛있었다. 조만간에 또 달리자고 추후 기약을 했다.

최근은 책 출간 마감 준비로 사무실을 거의 나가지 못하고 있어서 양 대표들을 만나지 못하고 있다. 라이딩을 못해서 아쉽지만 곧 출간하고 나면 일정을 잡아서 또 라이딩을 함께 하고 싶다. 이번에 소고기는 내가 사고 싶다. 그 전에 자전거 기어는 수리해야 할 것 같은데 수명이 다

되었는지 반대로 기어가 변경이 되질 않는다.

사업체를 운영하고 있는 법인회사 오너들에게는 눈에 보이는 확연한 공통점이 있다. 첫째로 궁금한 것을 물어보면 1시간이고 2시간 이고 정말 자세히 설명을 해주신다. 둘째로 귀가 열려 있다. 새로운 정보와  비즈니스 아이템에 즉각적으로 반응 한다. 셋째로 도움을 요청하면 정말 적극적으로 도와주고, 또 자세히 물어봐서 최적의 결과를 모색한다. 넷째로 비즈니스 정보 공유에 적극적이다. 비즈니스 기회를 함께 해서 시너지 효과를 만드는 것이 전체 수익이 더 좋음을 경험적으로 알고 있다. 다섯째로 인생을 즐길 줄 안다. 일할 때는 일 하고, 놀 때는 놀고, 돈 쓸 때는 쓴다. 마지막으로 그들은 하고 있는 일이 재미있다고 자주 얘기한다. 사실 나도 일부 그렇다.

필자는 이러한 적극적인 법인 회사 오너들의 삶의 자세를 존경한다. 옆에 같이 있으면 나도 덩달아 힘도 나고 더 적극적으로 변하는 것 같다. 긍정적인 마인드로 귀가 열려있고 인생을 즐기고 있으니 옆에 있는 나도 함께 행복해진다. 기회가 되면 주위 법인 회사 오너들과의 만남을 가져보면 좋을 듯 하다. 적극적인 삶의 자세로 인해 스스로 동기부여가 되고 세상 보는 시야가 넓어 지는 계기가 될 것이다.

독자들도 새로운 모임과 기존 모임에 변화를 시도해보자. 회사 생활 속 기존 익숙한 모임 보다 더 긴장될 것이다. 취미, 사업, 부동산, 주식투자, 책, 드로잉, 피아노 등 다양한 주제가 부담 스러워서 걱정이 올 수는 있을 것이다. 하지만 필자의 경험으로 볼 때, 서로에 대하여 존중하고 무엇보다 관심사가 비슷하므로 금새 대화의 물꼬가 트이는 경우가 다반사 였다.

스스로 하고 싶은 것과 진행 하고 싶은 방향이 걱정될 때는 관련되는 다양한 모임에서 해답을 찾을 수 있을 것이다. 좁게 바라보던 시야가 넓어질 것이고, 양질의 정보를 얻게 되어 자유인의 삶이 더욱더 윤택 해질 것이다. 온라인이든 오프라인이든 모두 좋다. 개인의 관심사 방향에 맞추어 시야의 폭을 넓히는 것이 가장 중요한 키 포인트이다.

시야가 넓은 사람과 많은 시간을 가져라.
알지 못했던 새로운 세상을 경험 하게 될것이다

혼밥

퇴직 후 혼자 있는 시간이 많아져서 평일 점심은 혼자서 해결하는 경우가 자주 있다. 퇴직 초기 때에는 분식류, 라면, 김밥, 편의점 도시락등 간단하게 먹거나 혼자 가도 크게 부담 없는 곳을 자주 갔었다. 하지만 지금은 웬만한 식당은 혼자서도 갈만큼 익숙해 졌는데 가장 많이 가는 곳이 동네 한식 뷔페이다. 일종의 셀프 백반집인데 가격은 7,500원이다. 인근 직장인들이 가장 많이 가고 나처럼 혼자서 오는 분들도 꽤 많다.

식당도 매우 넓어서 크게 신경 안 쓰이고 먹고 싶은 메뉴를 덜어서 항상 맛있게 먹을 수 있다. 식사 후 식당 앞 테라스에서 마시는 믹스 커피도

매우 맛있게 마시고 있다. 루틴이 하나 생겼는데, 그 곳에서 밀렸던 전화들을 몰아서 할 때가 있다. 만남 일정을 잡을 때도 있고, 보고 싶고 생각나는 친구들의 안부를 묻기도 한다.

운동을 심하게 한날은 몸에서 고기를 많이 원하는데 그날은 고기 집들을 찾아 다니기도 한다. 주방에서 구워서 주는 집은 그래도 괜찮지만 숯불을 넣는 고기집 에서는 혼자 가면 아무래도 공수가 많이 들어가기 때문에 2인분 이상 먹을 수 있는 고기 집들을 주로 방문 하고 있다.그리고 퇴직 후 식성도 바뀌었다. 회사 다닐때 에는 술을 정말 좋아하는 줄 알고 매일 매일 마셨다. 실제로 맛있었다.

퇴근 후에는 항상 술이 생각났었는데 최근 운동 후에는 고기가 먼저 생각난다. 실제로 몸에서 고기를 원하고, 술은 크게 생각나지 않는다. 최근 어쩔 수 없이 술을 먹게 되는 날에는 가끔 너무 써서 이 맛없는 술을 무슨 맛으로 먹었지? 라는 생각이 든다. 지금도 고기 집에 혼자 앉아서 눈꽃갈비 400g과 콜라 그리고 된장 찌개와 공기밥을 먹고 있다. 고기를 먹으니 술도 주문할 법 하지만 우선 크게 땡기지가 않는다. 그리고, 내일 오전의 수영 강습이 걱정 되기도 해서 주문하지 않았다.

정말 중요한 이야기는 술보다는 밥을 먹으면서 오고 간다

퇴직 전 한참 스트레스 많이 받을 때 술을 너무 많이 먹어서 정신과 병원에 몇 개월 다닌 적이 있다. 의사 진단으로는 다행히 알코올 중독은 아니고 스트레스 증후군 이라고 하셨다. 스트레스를 푸는 방법이 트레이닝 되어 있지 않은 상태이고, 술을 마시면 일시적으로 긴장이 풀리게 돼서 더 마시게 되는 거라고 설명해 주셨다. 따라서 스트레스 해소 차원에서 술을 매우 가까이 했었는데, 지금은 스트레스가 거의 제로이기 때문에 술을 마실 이유가 사라진 것으로 보인다. 친구와 밤새도록 떠들면서 마시는 술은 지금도 맛나지만, 회사 다닐 때 스트레스 해소 차원으로 마셨던 그 독주들은 이제 내 인생에서 아주 멀리 가버린 듯 하다. 매우 기쁘다.

제3장 40대에 퇴직할 때 준비할 것 10가지

퇴직하겠다고 결심하게 되면, 준비해야 할 것들이 많이 생기는데 대부분 퇴직자가 생각하는 가장 중요한 것은 수익에 대한 것일 것이다. 퇴직 후에는 어떠한 일을 해서 파이프 라인을 구성하게 될지, 하루의 일정은 어떻게 보내야 하는지 등 다양한 고민이 있을 것이다. 사실 생각할 게 너무 많은데 필자의 경우를 예를 들어 하나씩 정리하면서 짚어 보자.

1) 가족과 충분한 대화하기

퇴직을 고민할 때 즈음 필자의 일상은 언급한 것처럼 개인 시간의 경계가 무너진 상태였다. 새벽부터 늦은 밤까지 이어지는 카톡과 전화, 메시지로 인해 정상적인 개인 생활이 불가능한 상태였는데, 크리스마스 휴가지에서 반나절 동안 시달렸던 회사로부터의 카톡과 전화 연락들이 정점을 찍은 듯 하다. 그 전부터 퇴직에 대하여 조금씩은 얘기를 한 상태였는데 그 일이 있고 부터는 본격적으로 공감대가 깊어지게 되었다.

이때부터 현실적이고 구체적인 고민에 들어가게 되었다. 수시로 현재 상황에 대하여 논의 하였는데, 현실적으로 퇴직이 가능한 지부터

가장 먼저 검토 하였다. 쉽지 않은 대화 주제였고, 항상 미래는 불안할 수 밖에 없는것이다. 규칙적인 수입이 보장되지 않는 상황에 대한 충분한 검토가 필요하다고 생각했다. 시간이 허락하는 한 충분한 대화를 지속했고, 약 6개월 동안 평일 저녁은 물론 주말에도 자주 논의 했었다. 현실적인 수입 문제를 가장 큰 이슈로 두고, 퇴직 후의 무기력함은 어떻게 극복할 것인지, 하루의 일정표는 어떻게 구성할 것인지, 부모님에게는 어떻게 상황을 전달할 것 인지가 당장 고민 이었다. 퇴직했을 때의 장점과 단점이 있는데, 단점은 어떻게 보완할 것인지, 대안은 있는 것인지 등등 많은 주제에 대해서도 얘기하고 끊임없이 논의 했다.

몇 년 전 대기업에 종사 중인 수십 억대 부동산 자산가가 퇴직을 통보 받는데, 그 스트레스를 이기지 못해 가족 모두 살해하고 본인도 자살한 뉴스를 들은 적이 있다. 자초지종은 정확히 모르겠지만 너무너무 안타까운 뉴스였고, 남의 일 같지 않았다. 개인적으로는 이러한 최악의 상황이 생기지 않기 위하여, 조기 퇴직을 한다는 명분도 있었다. 하지만, 대화도 많이 하고 의견도 많이 교환함에도 불구하고 사실상 너무 막연 했다. 물어볼 곳도 없고 예측이 되지 않는 막막한 상황에 한숨만 나올 뿐 좀처럼 결론이 나지 않았다.

그래서 일단은 필수적인 생활을 할 수 있는 필수 생활비가 확보가 되는지부터 확인 하기로 했다. 필수 생활비란 식비, 세금, 아파트관리비, 교통비, 통신비, 피복비, 병원비,운동비, 보험 등 지출하지 않으면

40대에 퇴직할 때 준비할 것 10가지

기본적인 생계가 유지되지 않는 비용들을 포함 한다. 기존 필수 생활비 사용 내역이 중요했는데, 우선은 최근 5년간 비용 내역을 정리하였다. 회사를 다니지 않는 미래의 예산 기준은 명확하지가 않아서 공신력 있는 기관들의 공시 자료를 참조하기로 했다. 대법원에서 공시한 부양 가족별 최저 생계비와 보건 복지부와 하나은행 보고서의 최저 생활비 값을 가져왔다.(아래 표)

기관별 최저 생활비

가구수	하나은행 부자보고서 (1)	보건복지부 공시 (2)	대법원 공시 (3)	평균 Avg(1+2+3)	평균 (만단위올림)
1인가구	893,333	583,444	1,166,887	881,221	900,000
2인가구	1,786,666	978,026	1,956,051	1,573,581	1,600,000
3인가구	2,679,999	1,258,410	2,516,821	2,151,743	2,200,000
4인가구	3,573,332	1,536,324	3,072,648	2,727,435	2,800,000

이 3곳의 금액은 다소 차이가 있어서 평균으로 계산해보았는데, 다행히 평균 결과값과 실제 필자의 최근 5년간의 필수 생활비 규모는 큰 차이가 없었다.

년간 최저 생활비 평균

가구수	1개월	1년	5년	10년	20년
1인가구	900,000	10,800,000	54,000,000	108,000,000	216,000,000
2인가구	1,600,000	19,200,000	96,000,000	192,000,000	384,000,000
3인가구	2,200,000	26,400,000	132,000,000	264,000,000	528,000,000
4인가구	2,800,000	33,600,000	168,000,000	336,000,000	672,000,000

해당 금액으로 년간, 5년간 최저생활비, 10년간 최저 생활비 등을 계산해보았다. 부부 생활비로 한정하게 되면 2인 기준으로 년간 19,200,00원, 5년간 96,000,000원이 있으면, 추가적인 수익이 없어도 기본적인 생활은 가능하다는 통계자료이다. 1인 가구일 경우는 5년간 54,000,000원, 3인 가구일 경우는 5년간 132,000,000원이 최저 생활비 평균금액이다.

필자의 경우, 여기저기 흩어져 있는 투자 금액을 회수하고 나면, 년간 19,200,000원을 4~5년까지는 준비할 수 있을 것 같아서 우선은 경제적으로 퇴직이 가능할 것으로 예측이 되었다. 단, 필수 조건은 5년이 되기 전까지는 추가적인 파이프라인을 안정화 시켜야만 그 이후 생활이 가능할 것으로 예상 되었다. 어느 정도 안정화가 되어서 수익 창출이 꾸준하게 지속 된다면, 경제적으로 심각한 영향은 없을 것으로 예상했다. 즉, 5년 동안은 파이프라인 준비기간 및 안정화 기간으로 경제적인 안정을 도모 한다고 가정 했다. 그리고, 55세부터 개인연금, 주택연금, 60세부터 퇴직연금, 65세부터 국민연금을 수령할 자격이 생기므로, 그때부터는 추가적으로 선택할 수 있는 파이프라인이 있는 것도 긍정적인 요소 였다.

참는 것이 능사는 아니라고 생각한다. 최악의 상황이 다가오거나 최악은 아니지만 얻는 것보다 잃는 것이 많아진다고 스스로 판단되면, 참지 말고 가족들과 대화하고 다른 방법을 찾아보자. 퇴직이든, 이직이든, 투자이든, 창업이든 방법은 여러 가지가 있으니 대안을 함께 고민하는 것은 매우 중요한 부분이다. 일방적으로 결정하고 순간적인 충동으로 신뢰를 저버리는 방법을 선택하지는 말자. 우리의 인생은 생각보다 매우 길다. 또 재미 있는 게 생각보다 정말 많다.

> **퇴직을 고민 하게 될때, 퇴직 후 수입 없이 5년간 최소 생활이 가능 한지부터 가장 먼저 확인 하자.**

2) 10년간 예상 현금 흐름 작성하기

필자가 재무팀에서의 업무 중에 하나는 재무계획이었다. 예측에 가까운 부분이 많긴 한데, 주로 5년간 경영계획, 5년간 현금흐름예측, 10년간 손익예측 등이다. 이러한 레포트는 매분기와 가을 즈음에 글로벌 본사에 보고 된다. 이러한 업무 경험을 토대로 매년 말 가계의 비용 현황을 정리하고, 내년도 예산과 현금 흐름 계획을 준비했었다. 1년이 지나고 매해 년 수가 지날수록 예측과 크게 금액이 차이나지 않게 된다. 예상하지 못했거나 충동적인 비용들을 많이 쓰지 않았다는 것의 반증이다. 퇴직이 다가올 때 쯤에는 5년, 10년 현금 흐름을 지속적으로 업데이트 했었다.

각종 기관에서 고시한 최저 생활비가 독자들의 가계 규모와 차이가 크게 날 수도 있을 것이다. 차이가 크게 나지 않더라도 실제 현금 흐름에 대하여 정리하여 현황을 분석해 두면 추후에도 큰 도움이 된다. 계정 별로 비용을 알게 되어 비중이 확인이 되고, 그 안에서 절약 포인트를 찾을 수 있게 된다. 시간을 넉넉히 잡고, 한번 시도해 보면 좋을 듯 하다. 현금 흐름을 작성한 결과가 최저 생활비 평균을 넘는다면 추가적인 비용 계획 조정이 필요하다. 그렇지 않은 대부분의 경우 위에서 언급한 평균 최저 생활비로 예상 비용을 잡고 추가적인 이벤트만 입력해도 전체적인 윤곽은 잡을 수 있을 것이다.

사실 현금 흐름 분석은 쉬운 작업은 아니지만, 한 번 정도는 해볼 만한 가치가 있다. 최근 1년~5년 동안의 현금 흐름 내역을 먼저 작성을 해야 하는데, 그 자체가 스트레스이긴 하다. 힘들지만 하나하나 정리 해보면 생각보다 시간이 오래 안 걸릴 수 있다. 막연하게 생각하는 것과 한번 정리해 보는 것은 큰 차이가 있다. 다행히 최근에는 자산관리 앱들이 잘나와 있어서, 활용하면 정리 시간을 더 단축 시킬 수도 있다. 필자는 자산관리 앱으로 뱅크샐러드를 주로 사용하는데 총 자산금액, 자산별 현황, 통장의 입출금내역, 카드 사용내역, 보험납부내역, 예상연금 내역 등이 한눈에 보여서 유용하게 활용하고 있다. 또한, 토스뱅크 앱에서도 카드 사용내역 및 자금이체 내역이 확인가능하고, 일반적인 은행앱(기업은행의 경우)에서 오픈 뱅킹을 등록하면 타 은행의 이체 내역도 확인 가능하다. 그리고 비씨카드, 페이북, 페이코등의 앱에서 카드 사용 내역을 확인할 수 있으니 적극 활용해서 자산관리 시간을 효율적으로 사용해보자.

   필자가 가계 상황에 맞추어 사용 중인 10년간 예상 현금흐름표의 샘플 파일이다. (아래 표) 현금 흐름에서 수익과 비용을 계정 별로 입력하고, 연초 잔고에서 수익과 비용을 차감한 후 연말 잔고가 계산되는 형태이다. 자산 항목에서는 부동산 자산과 자동차, 보험, 기타 자산으로 구분해서 입력 하였다.

10년간 현금흐름표

			41	42	43	44	45	46	47	48	49	50
나이			41	42	43	44	45	46	47	48	49	50
년도			2022	2023	2024	2025	2026	2027	2028	2029	2030	2031
현금흐름		년초잔고	100,000,000	120,800,000	141,600,000	162,400,000	163,200,000	164,000,000	164,800,000	165,600,000	166,400,000	167,200,000
	수익	근로소득	20,000,000	20,000,000	20,000,000							
		근로소득	20,000,000	20,000,000	20,000,000							
		퇴직금				10,000,000						
		실업급여				10,000,000						
		주식배당금					5,000,000	5,000,000	5,000,000	5,000,000	5,000,000	5,000,000
		주식장기손익					5,000,000	5,000,000	5,000,000	5,000,000	5,000,000	5,000,000
		주식단타수익					2,000,000	2,000,000	2,000,000	2,000,000	2,000,000	2,000,000
		부동산					1,000,000	1,000,000	1,000,000	1,000,000	1,000,000	1,000,000
		인세					1,000,000	1,000,000	1,000,000	1,000,000	1,000,000	1,000,000
		저작권					1,000,000	1,000,000	1,000,000	1,000,000	1,000,000	1,000,000
		퇴직연금										
		개인연금										
		기타수익					5,000,000	5,000,000	5,000,000	5,000,000	5,000,000	5,000,000
		합계	40,000,000	40,000,000	40,000,000	20,000,000	20,000,000	20,000,000	20,000,000	20,000,000	20,000,000	20,000,000
	비용	생활비	19,200,000	19,200,000	19,200,000	19,200,000	19,200,000	19,200,000	19,200,000	19,200,000	19,200,000	19,200,000
		여행비										
		비상금										
		대출금										
		주택대출이자										
		주택대출상환										
		자동차										
		합계	19,200,000	19,200,000	19,200,000	19,200,000	19,200,000	19,200,000	19,200,000	19,200,000	19,200,000	19,200,000
	수입-비용		20,800,000	20,800,000	20,800,000	800,000	800,000	800,000	800,000	800,000	800,000	800,000
	년말잔고		120,800,000	141,600,000	162,400,000	163,200,000	164,000,000	164,800,000	165,600,000	166,400,000	167,200,000	168,000,000
	%		27%	31%	33%	33%	33%	33%	33%	33%	33%	33%
자산	부동산	아파트	300,000,000	303,000,000	306,030,000	309,090,300	312,181,203	315,303,015	318,456,045	321,640,606	324,857,012	328,105,582
		상업용부동산										
		부채										
	자동차	SUV	20,000,000	19,000,000	18,050,000	17,147,500	16,290,125	15,475,619	14,701,838	13,966,746	13,268,409	12,604,988
		세단										
	연금 보험	퇴직연금										
		퇴직연금										
		종신보험										
		생명										
		보험										
	기타	저작권										
		비상장주식										
	합계		320,000,000	322,000,000	324,080,000	326,237,800	328,471,328	330,778,634	333,157,883	335,607,352	338,125,420	340,710,570
	%		73%	69%	67%	67%	67%	67%	67%	67%	67%	67%
총자산			440,800,000	463,600,000	486,480,000	489,437,800	492,471,328	495,578,634	498,757,883	502,007,352	505,325,420	508,710,570

40대에 퇴직할 때 준비할 것 10가지

입력된 값에 대한 가정

- 시작 현금 잔고는 100,000,000원
- 근로 소득은 맞벌이 부부로 각각 20,000,000원
- 3년 동안 근무 후 퇴직
- 퇴직금과 실업 급여 합계는 20,000,000원
- 퇴직 후 2년 차부터 수익 합계 20,000,000원
- 생활비는 년 19,200,000원 가정 (2인기준)
- 아파트 자산가는 300,000,000원, 년 1% 상승
- 자동차는 SUV 20,000,000원, 년 5% 감가 하락

10년간 예상 현금 흐름을 작성한 후 퇴직이 가능한지 냉정하게 판단해 보아야 한다. 어려운 작업이고 굳은 결심이 필요해지는 과정이다. 퇴직 후의 계획도 아직 불명확 한데 현금 흐름까지 미리 작성해야 하다니 그 과정이 막막하다. 하지만 하나하나 정리해보면 실마리가 보인다.

필자가 했던 작성 순서

1 작년 1년 계정 별 수익과 비용을 정리
2 올해 1년 계정 별 수익과 비용을 정리(예측포함)
3 퇴직 전 발생할 수익 입력(대부분이 근로소득)
4 퇴직 후 발생할 수익 입력(예측 또는 목표)
5 퇴직 전 예측 되는 비용 입력
6 퇴직 후 예측 되는 비용 입력

이때 예측 비용을 산정하기 어려울 수 있는데 그럴 경우에는 퇴직 전 비용은 올해 포함 직전 년도 2년간 평균값을 입력한다. 그리고 퇴직 후 비용은 최저 생활비 + 주요 이벤트(차 구매 등) 비용 을 가정해서 입력하면 우선적으로 윤곽을 잡을 수 있다. 그리고 현금 흐름을 작성할 때에는 비교적 보수적인 기준으로 입력하는 것이 좋다.

예를 들면 2년 뒤에 차를 바꿀 예정이었는데 안 바꾸고 버터야지 생각하고 비용 예산에 포함 시키지 않을 수도 있다. 하지만, 언젠가는 사야 할 수도 있고, 개인적인 성향이 살건 사야 하는 주의라면 이벤트 비용에 넣어 두는 것이 좋다. 그래야만 나중에 최악의 경우를 방지 할 수 있다.

작년 한해 사용했던 비용을 가장 먼저 정리해 보자

3) 10가지 버킷리스트 작성하기

예상 현금 흐름이 어느 정도 정리 되었으면, 퇴직 후 하고 싶은 일들 위주로 버킷리스트 10가지 이상을 준비해 두어야 한다. 개인적으로는 하고 싶은 것이 있어야 퇴직할 수 있다고 생각하는데, 그도 그런 것이 하고 싶은 일이 없으면 퇴직 후 무기력해 지기가 쉽다. 오히려 퇴직 전보다 상황이 좋지 않아질 수도 있다.

비즈니스이든 비즈니스가 아니든, 무엇이라도 하고 싶은 것이 있어야 한다. 하고 싶은 것이 없다면, 퇴직을 한다고 하더라도 하루의 일정이 불명확 해진다. 준비되지 않은 불명확한 일정은 나태해 지기 쉽다. 시간을 효율적으로 사용하기 어려워 지므로, 퇴직 후 얻는 것보다 잃는 것이 더 많아질 가능성이 높다. 아래 필자가 생각했던 범위 들을 참조하여 버킷리스트를 작성해보자.

- 평소에 하고 싶었던 것,
- 어릴 때부터 해보고 싶었던 것
- 더 나이 들기 전에 하고 싶은 것
- 더 늦기 전에 배우고 싶은 것
- 죽기 전에 이것 만은 하고 싶다는 것
- 누군가가 했던데. 너무 나도 하고 싶었다는 것
- 해보면 왠지 내 인생이 풍요로워질 것 같은 것
- 왠지 이걸로 돈 벌면 재미있을 거 같은 것 등

생각해보면 무궁 무진하다.

필자도 해당 범위 들을 토대로 퇴직 초기 때부터 버킷리스트를
업데이트(처음에는 10개 정도였는데, 계속 늘어남) 하여 왔고, 다소
비현실적인 부분도 일부 포함되어 있긴 하다. 지금 현재는 응용이 된
부분도 있고 다행히 준비 중인 부분도 있다. 현재의 버킷리스트 및 진행
사항을 보면 아래 표와 같다.

버킷리스트

No	버킷 리스트	진행사항 업데이트
1	첼로배우기	동네에 갈만한 첼로 학원이 없다. 피아노학원으로 갈려고 현재 대기중.
2	펜 드로잉	드로잉클래스를 수강을 했고. 아이패드로 그려보는중. 다음 주제는 화투임
3	요리	요리학원을 수강하려 했으나, 적절한 학원이 보이지 않아서. 대기중
4	CFA 레벨1	주식투자에 도움되려고 준비하려 했고, 현재 투자자산운용사(11월시험) 시험칠예정.
5	영어회화	외국계기업에 다시 들어가지 않는 이상 투자시간 대비 소득이 없을듯 하여, 현재 대기중.
6	필라테스	가장 잘 선택한 항목. 퇴직후 바로 시작해서 현재까지 하고 있음. 결과. 최고다. 계속 할것임.
7	제주한달살기	시간이 없다. 벌려 놓은게 너무 많아서 한달은 힘들고. 올해 12월에 일주일정도 스테이 예정.
8	이탈리아한달살기	내년 상반기에 한달까지는 아니지만 3주정도 스테이 할 예정.
9	세계일주	갈려니 막막하다. 일단 장기적으로 대기중.
10	산업디자인	3D캐드, 산업디자인, 가구, 컵, 인테리어등 -> 재능이 없는 편인듯, 기회비용 검토중
11	글쓰기	네이버 블로그로 글쓰기 시작. 처음에는 맛집과 여행으로 시작
12	블로그 개설	네이버와 티스토리 블로그 개시, 브런치 블로그 개설 준비중
13	책 출간	40대에 퇴직하려면 준비할 10가지 출간, 다음책 2가지 준비중
14	자유형 수영	자유수영 6개월 진행했고, 수영강습 초보자 10월부터 시작예정
15	등산-단풍구경	인근 낮은 산 공원, 작년 가을 북한산, 남산 다녀옴. 올해 계룡산 일단 갈 예정
16	투자자산운용사	11월에 시험이 있고 응시할 예정. 합격후 눈여겨 보고 있는 사모펀드 가입예정
17	법인설립	올해 법인 설립완료. 현재 재무자문 업무 중 + 시스템 솔루션 소개로 수익 발생중
18	아이맥 구입	너무 너무 사고 싶었고, 올해 초 중고로 구매 완료.

버킷리스트는 지속적으로 업데이트 중이다. 버킷리스트를 업데이트 하는 이유는 나의 퇴직 후 일정표와 파이프라인과 밀접하게 연관성이 있기 때문이다. 필자의 경우는 하루 일정과 파이프라인을 내가 하고 싶은 일들 중심으로 구성하고 있고, 그 결과 더욱더 그 시간이 다채로워 지고 있다. 내가 하고 싶은 일들로 하루 일정과 파이프라인을 채우기 위하여 버킷리스트를 잘 정리하고 수시로 업데이트 하자.

버킷리스트가 많으면 많을수록 퇴직 후 생활이 다채로워 진다

4) 하루 일정표 작성하기

버킷리스트가 어느 정도 정리가 되고 나면, 하루 일정표에 내가 할 수 있고 일정이 허락 하는 버킷리스트들은 추가해 보자. 내가 하고 싶은 일들로 하루 일정표를 구성한다는 것은 그 자체만으로도 짜릿한 과정이다. 일정표를 짜는데 다양한 아이디어를 반영하고 에너지를 쏟게 되면, 나의 하루가 더욱더 가치 있게 만들어진다. 또한 장기적인 파이프라인에도 긍정적인 영향을 미친다.

사실 퇴직하고 나면 자유로운 시간이 처음에는 갑갑하다. 아침에 일어나서 무엇부터 해야 할지 감이 안 온다. 우선은 세수하고 집을 나서야 할거 같은데 딱히 갈 곳이 없다. 불러주는 데가 없으니 불안하고, 바쁘게 울리던 핸드폰도 이제는 조용하다. 그럴 때 버킷리스트를 반영하여 일정표를 만들어 보자. 중요한 것은 일정표를 수립한 다음, 진행 사항을 보면서 계속 수정해야 한다는 것이다. 나에게 주어진 소중한 시간을 정말 중요하게 생각해야 하며, 쉽게 써버리지 말고 알차게 활용해 보자. 잘 짜인 일정표는 내 삶과 파이프라인을 더욱 더 풍요롭게 해 줄 것이다.

필자는 일정표를 최소 1달에 한번은 수정 하고 있고, 현재의 일정은 아래와 같다. 컨셉은 매일 오전 운동을 하고, 오후에는 본연의 업무를 진행한다. 외부 미팅은 1주일에 1회만 진행하고, 저녁 식사는 항상 집에서 가족과 함께 한다.

하루 기본 일정

08:00-09:00 기상 | 스트레칭
09:00-10:00 주식시장 체크
10:00-12:00 아침운동
12:00-13:00 점심식사
13:00-17:00 오후일정 | 사무실 | 외부미팅
18:00-21:00 저녁식사 | 글쓰기
22:00-23:00 주식시장 체크

요일별 기본 일정

시간		월요일	화요일	수요일	목요일	금요일	토요일	일요일
8:00	9:00	스트레칭						휴식
9:00	10:00	주식체크						
10:00	11:00	필라테스	수영강습	휴식	수영강습	헬스 사우나	휴식	
11:00	12:00	휴식		필라테스				
12:00	13:00	점심식사						
13:00	14:00							
14:00	15:00	사무실	재활치료	사무실	외부미팅	글쓰기		
15:00	16:00							
16:00	17:00							
17:00	18:00							
18:00	19:00	저녁식사		휘트니스	저녁식사		글쓰기	
19:00	20:00			저녁식사 (고기)				
20:00	21:00							
21:00	22:00							
22:00	23:00	주식체크						
23:00	0:00	취침준비						

제3장 40대에 퇴직할 때 준비할 것 10가지

버킷리스트 위주로만 일정표를 구성해도 일주일이 정신 없이 흘러간다. 하고 싶은 일들만 해도 하루가 바쁜데, 그렇지 못했던 과거의 시간들이 조금은 후회 된다. 운동 하며, 외부 미팅 하며 자연스럽게 비즈니스 얘기가 오간다. 다음 약속에 대해서 논의하는 게 이제 익숙해진다. 퇴직 후 나에게 주어진 소중한 시간을 알차게 사용하기 위하여 반드시 하루 일정표를 작성하자.

> 버킷리스트로 하루 일정표를 채워 보자.
> 하루 하루가 다채로워 질 것이다.

5) 새로운 일정에 적응하기

하루가 생각보다 매우 짧다. 회사에 다닐 때보다 시간의 소중함이 더 간절해 진다. 하루를 허투루 보내면 시간이 너무너무 아깝다. 나에게 주어진 소중한 시간을 최대한 내 인생을 위하여 행복하게 사용하고 싶어진다. 'Time is gold'가 명언인 것을 예전에는 잘 다가오지 않았지만, 지금은 100프로 공감한다. 시간은 금이다. 돈보다 더 중요한 것이 시간이다.생각해 보라. 지금 내가 20대로 돌아간다면? 주식 복리 투자와 금 투자로 떼돈을 벌었을 가능성이 높다.

퇴직 경험이 있던 P에게 퇴직 후 일정에 대해서 물어봤을 때, 그가 했던 말이 기억난다. 2달까지는 너무 좋은데, 3달이 되어가면 너무 불안하고 근질근질해서 너무 힘들다고했다. 그래서 걱정을 많이 했는데,

P는 잠시 이직을 위한 퇴직을 해서 그랬던 건지 필자의 상황은 전혀 달랐다.

　지루할 시간은 처음부터 존재하지도 않았다. 하루하루가 너무 바빠서, 어떨 때는 숨이 차다. 지금도 글쓰기에 집중하고 있는데 시간이 없어서 아직 밥도 못 먹었다. 사실 내일까지 초고 제출 인데, 숨이 찬다. 카톡도 계속 오시고, 목이 죄어온다. 그리고 더 불안하게 어느새 밖에는 해가 지고 있다. 오늘은 금요일인데, 금요일은 하루 종일 글쓰기로 일정 계획이 되어 있다. 빨리 마무리 하고 거실에 맥주 먹으러 가는 게 현재 목표다. 하지만 현재 진행 상태를 미루어 볼 때 맥주는 포기 해야 할 듯 하다.

　사실 오래 앉아있는 이 시간이 힘들고 고되지만, 지금까지 느껴보지 못한 즐거운 시간이다. 필자는 전문적인 작가는 아니지만, 중간중간 희열이 느껴진다. 뜻 모를 감정이다. 묘하다. 맥주 먹으면서 행복해서 울지도 모르겠다. 그러던 중 지금은 거의 밤이 되었다. 자유인의 시간은 생각보다 매우 빨리 지나간다.

> **무언가를 얻게 될때 잃는 것도 생길 수 있다. 받아 들이자.**

글쓰기 시간에 적응

　성격상 무미건조한 하루를 희망하지 않았고, 내 하루 하루에 일기는 아니지만, 어떤 형태로든 비슷한 마침표를 찍고 싶었다. 퇴직하고 나서 하고 싶은 일 10개중 에서 글쓰기가 있었고, 어느 시점부터 네이버와 티스토리 블로그에 글을 올리기 시작했다. 처음에는 글쓰기 시간이 너무 오래 걸리고 주제도 한정적이어서 고민을 많이 했었는데, 매일 쓰다 보니 자연스럽게 늘게 되었다.

　처음에는 가벼운 주제인 일상 맛집, 여행, 금융자산투자 위주로 투고를 했다. 그러다 시간의 여유가 있을 때는 필자의 얘기인 에세이 형태로 글을 쓰기도 했다. 에세이 토픽 건수가 증가하게 되면서 글쓰기에 대한 재미가 본격적으로 붙기 시작했다. 기대하지 않았던 책까지 출간하게 된 계기가 되었고, 그게 지금 바로 이 책이다. 10년 전까지만 해도 아니 1년 전까지만 해도 글쓰기가 이렇게 즐겁고 행복한 줄 몰랐다.

글쓰기 전에는 그림을 배우고 있었는데, 그때 그림 선생님이 해준 얘기가 기억난다. "우리 어릴 때에는 미술 시간과 음악, 체육 시간이 제일 재미있었어요" 라고 하신다. 그림그리고, 노래 부르는 걸 싫어하는 친구를 본적이 없다. 이렇게 재미있는 걸 왜 어릴 때만 했을까? 지금 내가 가장 재미있게 하고 있는 것 중에 하나가 바로 글쓰다. 어려우냐고? 어렵지 않다. 우리 모두 썼었다. 우리가 기억하는 초등학교 국어 글짓기 시간. 그때 글 못 쓴다고 맞춤법 틀렸다고 매번 혼나던 어린이가 바로 나다.

친구에게 "글쓰기, 너도 할 수 있어, 나도 하고 있다" 라고 말하고 싶다.

운동 하는 시간에 적응

퇴직하고 나서 버킷리스트 10개중에서 필라테스가 있었다. 10가지 중에서 가장 먼저 시작했고, 지금 가장 잘했다고 생각하는 것이 필라테스다. 퇴직 후 바로 시작했으니 지금 1년 6개월이 넘어가고 있고, 일주일에 2번씩 50분씩 운동하고 있다. 재활 치료를 겸하고 있어서 1:1로 진행할 수밖에 없고, 그래서 사실 비용은 많이 든다. 하지만, 1:1로 진행하게 되면 얻는 가장 큰 장점은 매일 매일 몸 상태가 체크가 되고, 그 상태에 맞춘 나만의 1:1 프로그램으로 진행 하는 것이다. 거기다 자세까지 세심하게 교정이 되니 운동 효과가 더욱더 극대화 되는 것 같다.

필라테스를 시작한 가장 큰 이유는 허리와 골반의 통증 때문이었다. 의자에 30분만앉아 있어도 일어선 후 즉시 걸어가지 못해서 힘들었다.

병원에 가서 진찰해보면 특별한 이상은 없고, 허리가 조금 굽었고 근육 량이 매우 부족하단다. 그리고, 노화 및 운동 부족으로 인하여 근육들이 앞으로 뒤틀어지고 있어서 자주 운동이 필요하단다. 운동 전문가인 J에게 자문을 구했고, 필라테스를 다년간 했던 J는 역시나 바로 집 근처 필라테스로 나를 끌고 갔다.

월요일과 목요일 이렇게 일주일에 2번씩 수강을 등록 했다. 처음 몇 개월은 운동 후 걷기도 힘들었었고, 그 다음날까지 근육이 너무 아파서 누워만 있었다. 1년 6개월이 지난 지금은 삐뚤어졌던 골반과 어깨가 많이 맞춰지게 되었고, 허리의 통증은 거의 사라졌다. 체력이 좋아져서 운동 후 일상적인 생활도 가능하게 되었다. 처음에는 꿈도 못 꾸던 수영도 이제는 할 수 있게 되었다. 필라테스와 수영을 하지 않는 날은 아파트 휘트니스에서 시간을 보내며, 못다한 스트레칭과 가벼운 웨이트 위주로 건강 관리를 하고 있다. 한 번씩 몇 년 전 사진을 보는데, 지금 나오는 다른 사람이다. 거의 2년 동안 긍정적인 방향으로 변경된 나의 몸을 보는 것 그 자체도 행복이다.

오래도록 걷기 위해서는 매일 매일 걸어야 한다고 한다. 걸을 때 주로 사용 되는 근육이 넙치근, 대둔근, 대흉근이다. 이 3가지 근육이 준비가 안되어 있으면, 다른 속근을 사용하게 되므로 쉬 피로해진다고 한다. 넙치근(종아리)에 힘을 줄려면 엄지 발가락에 힘을 주고 일어서야 하고, 대둔근(엉덩이)에 힘을 줘야 다리가 쭉쭉 펴진다. 그리고 대흉근(가슴)은 의외였는데, 대흉근이 펴져야 등도 펴지게 된다. 즉, 허리가 구부러지고

40대에 퇴직할 때 준비할 것 10가지

등이 구부러지지 않으려면 대흉근도 운동을 해줘야 한다. 걷기에 필요한 3가지 근육은 반드시 가장 먼저 챙기도록 하자.

나에게 맞는 운동을 여러 개 만들어 두고, 번갈아 가면서 진행 하자.

1인 업무 시간에 적응

　일반적인 직장인 일 때에는 혼자서 미팅을 참석한 적이 거의 없었던 듯 하다. 이제는 혼자서 미팅을 참석 하는게 일반적인게 되었다. 처음에는 정말 긴장도 되고 정말 낯설었는데, 조금씩 적응이 되어 가는 중이다. 30분 정도 일찍 가서 자리를 잡고 있거나 근처에서 대기하다 들어가곤 한다. 비즈니스 수트도 다 갖춰서 입을 일이 없었는데 지금은 꼭 챙겨서 입고 다니고 있다.

수트 뿐만 아니라, 가방, 다이어리, 볼펜도 좋은 것으로 챙기고, 명함도 명함 지갑에 항상 잘 챙겨둔다. 이렇게까지 해야 하냐라는 친구도 있는데,

지금처럼 백그라운드가 없는 상태에서는 최대한 준비할 수 있는 것은 준비하는 게 기본적인 비즈니스 전략이라고 생각한다. 아무 배경도 없는 나를 위해 시간을 내준 상대편 회사에 대한 최소한의 예의 라고도 할 수 있겠다. 여하튼 지금 파이프라인을 잘 구성하기 위하여 지속적으로 외부 미팅 및 비즈니스 교류를 하고 있다. 외부 미팅이 없을 때에는 사무실에서 상주하고 있고, 외부 미팅을 할 때에는 기업이 많이 상주하는 강남과 구로, 여의도를 주로 방문한다. 시간이 여유 있을 경우는 지역 부동산을 방문하여 정보를 수집 하곤 하는데, 인터넷으로 보는 부동산 정보는 한계가 있기 때문이다.

부동산을 방문하여 커피 한잔하며 나누는 정보는 정말 생생해서 갈 때마다 충동구매(?)를 고민하곤 한다. 부동산도 주력 업종이 있기 때문에 업종별로 다양한 부동산을 방문하는 것이 중요하다. 필자 같은 경우는 택지 전문 부동산과 상가 전문 부동산, 아파트 관련 부동산을 번갈아 가며 방문 하고 있다. 최근에는 경매 쪽도 관심을 가지게 되어 시간을 할애하기 위해 준비 중이다.

퇴직하게 되면 일반적으로 주식 전업 투자자를 많이들 생각하고 있을 것이다. 나 같은 투자 초보자에게는 수익률이 보장되지 않을 뿐더러 지속적으로 공부해야 할 것이 매우 많았다. 따라서 투자 방법을 하나에 국한하지 말고, 다양한 투자 방법을 병행하는 것을 추천한다. 포트폴리오를 다양하게 구성하는 것이 현금 흐름과 리스크 관리 측면에서 중요하다고 본다. 파이프라인을 안정적으로 잘 구성하기 위하여 주기적으로 방문하는 곳들을 정리해보면 아래와 같다.

주요 행선지	
업무 명	위치
외부 미팅	킨텍스, 역삼역, 선릉역, 여의도역, 구로디지털단지 등
주주 총회	여의도, 삼성역, 선릉역, 남양주, 구로디지털단지 등
부동산 투자	택지전문 부동산, 상가전문 부동산, 아파트전문 부동산
금융자산투자	여의도 삼성증권, 한국투자증권, 자산운용사 펀드매니저
은행	기업은행, 새마을금고, 우리은행, 농협, 하나은행
정부지원금	경기신용보증재단
물류센터	인천항 인천물류센터

40대에 퇴직할 때 준비할 것 10가지

6) 10가지 파이프라인 계획 짜기

막상 파이프라인 계획을 준비하려면 막막하다. 취업만큼이나 어렵다. 단군이래 돈 벌기 가장 좋은 시기라고 하는데, 나한테는 해당사항이 없는 것 같다. 호기롭게 퇴직은 했는데 주위에 돈 잘 버는 사람은 보이지 않는다. 너무 고민하지 말고 우선은 버킷리스트부터 시작을 하면 상대적으로 쉽게 실마리를 잡을 수 있다. 제목이 10가지 파이프라인의 계획이지만 수량이 꼭 10개가 아니어도 좋다. 내가 할 수 있는 시간과 목표 금액에 비례하여 고민하면 될 것이고, 희망하는 목표가 채워진다면 가짓수는 크게 중요하지 않을 것이다.

필자의 경우는 대략 10개정도의 파이프라인 계획이 만들어져 있다. 전체적인 수입액은 기존 근로소득에 비하면 매우 초라하지만, 분명한 것은 수입액이 현재도 증가 중이란 것이다. 근로소득 년 상승률 n% 와는 비교되지 않을 만큼, 매월 증가 중이다. 파이프라인을 계획하기 전에 수익 성향을 먼저 확인해야 하는데, 많이 벌고 많은 시간을 투자하는 파이프라인을 선호하거나 반대인 경우다.

수익 성향의 예
A형: 주 60시간을 일하고, 수익 100,000,000원 이상 B형:주 40시간을 일하고, 수익 60,000,000원 C형: 주 20시간을 일하고, 수익 30,000,000원 D형: 기타 어떤 경우를 선택할 것인가? 고민 될 것이다.

선택 할 때 고려 할 것이 여러 가지가 있는데, 필자가 고민했던 가장 큰 부분은 아래 4가지이다.

근무시간 | 근무장소 | 수익목표액 | 노동참여여부

필자의 경우는 근무시간이 가장 중요하다. 그 다음이 노동참여여부, 근무장소, 수익목표액이다. 정리하면 근무시간 〉 노동참여여부 〉 근무장소 〉 수익목표액 수순이다. 그래서 나는 C형에 가깝게 방향을 잡고 있다. 개인에게 중요한 수순을 우선 정리한 후 계획을 짜는게 좋다. 개인의 재정 상황과 근로가능시간, 생활비, 가구 구성원수, 지출 규모 등은 모두 차이가 있으므로 금액적인 목표와 가용 자산은 매우 주관적 일수 밖에 없을 것이다. 수익 목표액은 가구별 평균 기초 생활비로 가정 해보자. 그리고 필자가 했던 아래 순서를 참조하여 파이프라인 계획을 한번 짜보자.

#1 버킷리스트를 체크해보자

  필자는 언급한 대로 파이프라인을 설계할 때 버킷리스트를 기반으로 하였다. 처음에는 리스트를 아무리 들여다 봐도 파이프라인의 연관 고리를 찾을 수 없었다. 언뜻 봐도 일반적인 취미 생활로 이루어진 리스트였다. 다시 한번 봐 보자.

버킷리스트

No	버킷 리스트	진행사항 업데이트
1	첼로배우기	동네에 갈만한 첼로 학원이 없다. 피아노학원으로 갈려고 현재 대기중.
2	펜 드로잉	드로잉클래스를 수강을 했고. 아이패드로 그려보는중. 다음 주제는 화투임
3	요리	요리학원을 수강하려 했으나, 적절한 학원이 보이지 않아서. 대기중.
4	CFA 레벨1	주식투자에 도움되려고 준비하려 했고, 현재 투자자산운용사(11월시험) 시험칠예정.
5	영어회화	외국계기업에 다시 들어가지 않는 이상 투자시간 대비 소득이 없을듯 하여, 현재 대기중.
6	필라테스	가장 잘 선택한 항목. 퇴직후 바로 시작해서 현재까지 하고 있음. 결과. 최고다. 계속 할것임.
7	제주한달살기	시간이 없다. 벌려 놓은게 너무 많아서 한달은 힘들고. 올해 12월에 일주일정도 스테이 예정.
8	이탈리아한달살기	내년 상반기에 한달까지는 아니지만 3주정도 스테이 할 예정.
9	세계일주	갈려니 막막하다. 일단 장기적으로 대기중.
10	산업디자인	3D캐드, 산업디자인, 가구, 컵, 인테리어등 -> 재능이 없는 편인듯, 기회비용 검토중
11	글쓰기	네이버 블로그로 글쓰기 시작. 처음에는 맛집과 여행으로 시작
12	블로그 개설	네이버와 티스토리 블로그 개시, 브런지 블로그 개설 준비중
13	책 출간	40대에 퇴직하려면 준비할 10가지' 출간, 다음책 2가지 준비중
14	자유형 수영	자유수영 6개월 진행했고, 수영강습 초보자 10월부터 시작예정
15	등산-단풍구경	인근 낮은 산 공원, 작년 가을 북한산, 남산 다녀옴. 올해 계룡산 일단 갈 예정
16	투자자산운용사	11월에 시험이 있고 응시할 예정. 합격후 눈여겨 보고 있는 사모펀드 가입예정
17	법인설립	올해 법인 설립완료. 현재 재무자문 업무 중 + 시스템 솔루션 소개로 수익 발생중
18	아이맥 구입	너무 너무 사고 싶었고, 올해 초 중고로 구매 완료.

다시 들여다 보니 펜 드로잉이 보인다. 화투를 아직 그리지는 않았지만 드로잉 클래스를 수강을 했고, 여러 가지를 아이패드로 그려보는 중이다. 여전히 초보자 수준인데 일정이 허락 한다면 이 책의 중간 중간에 직접 그렸던 이미지를 삽입해 볼 예정이다. 초보자 책 + 초보자 이미지 잘 어울린다. 배우지 않았더라면 이미지 작업을 의뢰 했을 수도 있고, 표지 디자인을 크몽에 맡겼을 수도 있다. 해당 비용이 절약이 되었으니 파이프라인 측면에서 플러스다. 추후에도 활용할 수 있겠다. 다시 또 들여다보니 대략 8가지의 아이템들이 눈에 보인다.

파이프라인 활용 모색

- 펜 드로잉 결과물에 책 삽화로 활용
- 제주 한달 살기를 하면서 블로그를 올리면, 창작 수입료의 증가가 예상된다
- 이탈리아 한달 살기도 마찬가지 창작 수입료가 증가할 것이다.
- 책 쓰는 것도 가능 듯 하고, 사진도 업로드 가능할 것 같다.
- 세계 일주는 가게 될지 모르겠지만, 창작 수입료에 플러스가 될것이다.
- 책을 써도 좋을 것이다. 사진 업로드도 고려할 것 같다.
- 투자자산운용사 취득후 전문 투자자로 등록하면, 희망하는 사모펀드를 가입 할 수 있다.
- 요리는 배우게 되면 유튜브 촬영해서 등록->가능성이 낮지만 일단 추가 하였다

잠깐 들여다 봤음에도 파이프라인에 연결할 수 있는 항목들이 8개이다. 이중 한 개만 성공해도 좋다.

우선은 버킷리스트를 만들고, 계속 들여다 보면서 파이프라인을 찾아보자. 버킷리스트에서 1차적으로 할 수 있는 일을 찾아본 후 그

다음은 커리어를 정리해보면 좋을 듯 하다.

#1 버킷리스트 먼저 만들고 -〉 #2 커리어 정리 -〉 #3 파이프라인 계획
정리

#2 커리어를 정리해보자.

필자는 IT기업에 신입 사원으로 입사를 하였다. 약 20년을 정규직으로 근무하고, 2년을 임원으로 계약 기간을 보낸 후 계약 종료가 되어 퇴임한 경우이다. 처음 업무는 프로그래머로 시작 하였지만, 기업 재무에 관심이 생겨 MBA 학위를 취득한 후 재무팀으로 부서를 이동하였다. 약 10년의 재무 업무를 거친 후 등기 임원이 되었고, CFO로 승진한 후 계약 기간 종료 후 퇴임 하였다.

커리어를 정리한 이유는 파이프라인과 연결하기에 가장 현실적이기 때문이다. 엔지니어를 하지 않았더라면 몰랐을 프로그래밍 언어, 시스템 구조, 개발 프로세스, 기업 업무 분석과 재무를 하지 않았더라면 정확히 알지 못했을 각종 세법, 손익분석, 기업가치분석, 자산투자, 세무사 업무가 있다. 등기 임원을 하지 않았더라면 관심도 없었을 상법과 이사회, 주주총회, 정관, 법무사, 변호사 업무 등 그 업무 기간을 통해서 배운 법인 회사에 대한 포괄적인 지식과 법인세와 소득세 등 기업 세금에 대한 지식들이 법인 설립과 다양한 파이프라인 구성에 큰 도움이 되고 있다.

사직서를 내기 전 본인의 핵심 역량과 좋아하는 관심 분야에 대해서 정리해 보면, 더 안정적인 준비를 할 수 있을 듯 하다. 주요 관점은 내가 경험 했거나 그 안에서 내가 할 수 있는 것, 확장이 가능한 것이면 충분하다. 잘 하지 못한다고 스스로 생각할 수는 있지만, 외부에서 보면 이미 전문가이다. 잊지 말자.

외부에서 보면 이미 전문가이다. 경험 있는 커리어를 잘 정리 하자.

#3 파이프라인 관점에서 세부적으로 다시 요약 정리해보자.

버킷리스트와 커리어를 정리했으면, 파이프라인으로 확장할 수 있는 아이템들을 정리 해보자. 필자의 경우는 퇴직 전 업무를 적은 다음, 퇴직 후에도 할 수 있는 업무 위주로 파이프라인 확장을 모색했다. 퇴직 후에는 버킷리스트를 베이스로 파이프라인으로 확장이 가능한 항목을 고민하고 입력을 했다(아래 표). 필자들도 참조하여 현재 업무와 버킷리스트를 먼저 정리한 다음, 할 수 있는 일과 생각 나는데로 확장이 가능 항목을 입력해 보자.

파이프라인 계획 정리

	업무	업무 세부	파이프라인 확장
퇴직전	CFO	손익분석 | 자산투자 | 기업가치평가 | 상법 | 계약	금융자산투자 | 재무자문
	등기임원	상법 | 소송 | 변호사 | 법무사 | 이사회 | 주주총회	법인설립 | 운영자문
	글로벌 IT기업	국가별아웃소싱 | Plan | FCST | Pricing | Audit	자금계획 | 손익추측
	프로그래머	기업전산시스템통합 | 솔루션 도입 | 업무 분석	시스템 통합자문
	MBA학위	기업가치평가 | 현재미래가치 | 채권 | 수익률 분석	채권 투자 | 원자재 투자
	재무업무	법인세 | 세법 | 기업회계 | 세무사 | 예산관리	법인설립 | 손익분석
파이프라인 추가			
퇴직후	법인회사	재무자문	자문수수료
		시스템 통합자문 | 솔루션 제안	제안수수료
	금융자산투자	비상장주식 | 상장주식 | 원자재 | 금 | 채권 투자	매도수익
		주식투자	배당수익
	글쓰기	네이버 | 티스토리 | 브런치	블로그 광고수익
	책 출간	40대에 퇴직할때 준비할것 10가지	인세
	부동산투자	수익률 계산 | 상권 분석	임대료 수익 | 매도 수익
	사진촬영	사진 판매	업로드 수익배분
	저작권	음악 | 미술	수익 배분금
	금융이자	예금이자	이자수익
	펜드로잉	이미지, 에세이 삽화	그림책

40대에 퇴직할 때 준비할 것 10가지

본격적으로 준비를 하게 되면 퇴직 후 직업도 미리 생각을 해 보아야 하는데, 그 전에는 우선 생각나는데로 많이 적어 보고 결정은 천천히 해도 된다. 그 이유는 대부분의 파이프라인은 시행착오를 거치면서 현재 상황과 맞추어 가는것이 더 합리적일 것으로 판단했다. 생각지도 못한 변수들이 종종 등장하기 때문이다.

#1 버킷리스트 먼저 만들고 -〉 #2 커리어 정리 -〉 **#3 파이프라인 계획 정리**

7) 퇴직 후 직업선택: 직원 | 임원 | 사업 | 전문직 |
전업투자자

필자는 일반 회사원들의 생활 패턴이 아는 것의 전부였다. 세상을 보는 시야가 좁았고 생각이 폐쇄적이니 정보도 제한적 일수 밖에 없었다. 퇴직을 본격적으로 생각한 후부터 회사원들의 삶이 아닌, 타 직업인들의 얘기에 적극 귀를 기울이기 시작했다. 어느 순간부터 더 넓은 세상이 보이면서, 그 곳에 살고 있는 그들의 삶이 하나 둘씩 보이기 시작했다.

근로소득만 인지하던 필자가 사업소득, 금융투자소득, 부동산임대소득, 기타소득 등의 종합소득에 눈을 뜨기 시작 한 것이다. 각 소득들의 흐름이 어느 정도 이해가 되면서부터 비로소 나는 퇴직을 결심할 수 있게 되었다. 근로소득자의 일반적인 생활 패턴은 이렇다. 9시까지 출근을 하고 18시에 퇴근을 하면, 저녁 회식을 하거나 취미

생활 또는 퇴근을 한다. 주말에는 가족들과 시간을 보내거나, 밀린 업무를 일요일 오후에 한다. 그리고 가끔 휴가를 내어서 가족들과 여행을 간다. 이 이외에 시간들은 존재하지도 않았고, 생각하지도 않았고, 알지도 못했었다. 쓰고 보니 근로소득자가 아닌 독자들이 보면 이 패턴이 낯설 수도 있을 것 같다.

 그러던 어느 날 골프 라운딩을 친구들과 자주 가는 시즌이 있었는데, 지나고 나서 생각해보니 중요한 깨달음의 시간이었다. 지금같이 무덥고 비가 오는 날에는 가기 힘들지만 날씨 좋은 봄 가을에 골프는 누구라도 좋아하는 일정이다. 새벽 또는 오전에 골프 라운딩을 한 후 점심을 길게 먹고 헤어지는 스케줄이 일반적이다. 개인적인 경험을 비추어 보자면, 직업별로 식사 느낌과 오후 일정은 다소 차이가 있는 듯 했다.

 변호사를 예로 들면, 오전 라운딩이 끝난 후 점심 먹을 시간도 없이 교도소를 추가 접견 차 자주 간다. 세무사는 전화기가 항상 불이 난다. 끊고 나면 또 전화 오고 끊으면 또 전화가 온다. 기업 임원들은 밥을 먹으면서도 카톡, 카톡, 부재중 전화 확인하고, 역시 바쁘다. 직원들은 그냥 밥 맛있게 먹는다. 가장 편해 보인다. 전업 투자자들도 그냥 밥 맛있게 먹는다. 세상 편해 보인다.

 그럴 수밖에 없는 것이, 직원은 휴가 내고 왔으니 회사에서 급한 전화 외에는 연락이 오지 않는 것이다. 임원은 휴가라는 게 없고, 회사 업무 차

고객관리 또는 영업 차원으로 와 있는 것 이므로 업무의 연장선상이다.
변호사나. 세무사. 회계사 등등은 가장 바쁘다. 전화기 2개는 기본이고,
고객의 전화를 받지 않거나 늦게 회신 전화를 하면 배가 불렀다고 고객이
핀잔을 주기 일쑤다.

전업 투자자들은 미국 주식은 이미 새벽에 확인이 다 끝났고, 한국
주식장도 오전 일찍 매매를 마친 상태다. 개장 시간이 정해져 있어서 그
시간대별로 확인 작업을 거치게 되면 그 나머지 시간은 컨트롤이
가능하다. 사업자 대표는 규모와 업무 성격에 따라 다른데, 여유로운 사람
반 매우 바쁜 사람 반 인 듯 하다. 이들도 자체적으로 시간은 컨트롤
가능한 것으로 보인다.

필자는 전문직인 세무사 준비를 2년 정도 한적이 있다. 당시 재무팀에

근무하고 있었고 언제가 될지 모르지만 퇴직 준비를 해야만 했었기 때문에, 토요일, 일요일은 세무사 고시 학원에 아침 일찍 가서 저녁 늦게까지 수업 듣고 자습했다. 평일 저녁도 매일 가지는 못하지만 2-3일 정도는 학원 가서 보충수업을 듣고, 2년간 1차 시험을 2번 보았다. 신기하게도 첫 번째 시험 점수보다 두 번째 시험 점수가 더 낮았다. 크게 고민하지 도 않고 시험 준비를 포기했다.

지금 생각하면 세무사 시험을 포기한 것이 기회 비용 측면에서 정말 잘한 선택인 듯 하다. (붙지도 못했겠지만) 우선은 시험 준비로 몸이 매우 망가져서 더 진행하기가 어려웠다. 전문직은 대부분 선망하는 직업이지만 아무나 할 수 있는 직업은 아니라고 생각한다. 적어도 나같이 게으르고 전화 알레르기가 있으며, 저녁과 주말에는 무조건 자야 하는 사람은 더 어렵다. 전문직 업무를 수행하기도 어려울뿐더러 스트레스의 지수도 일반 회사와 비교가 안될 만큼 힘들듯 하다. 그 당시 고민했던 직업들을 정리해 보았다. (아래 표)

직원과 임원은 우선 회사원으로 회사에 메인 몸이다. 그리고, 40대에 재취업은 제약 조건이 작지 않다. 사업자 대표는 자본금 투자 리스크가 있으나 사업 아이템부터 근무시간까지 선택이 가능한 장점이 있다. 전문직은 우선 붙을 자신이 없다. 개인적인 시간을 포기해야 한다는 단점도 크게 다가온다. 전업 투자자는 마이너스 수익에 노출되는 큰 단점이 있지만, 어느 정도 타 직업과 병행할 수 있는 장점이 있다.

직업 선택 정리

직업 선택	장점	단점
직원	고정소득	회사원
임원	고정소득 고소득	회사원
사업자 대표	비즈니스 선택가능	비고정소득 자본금투자(법인)
전문직	고소득	시험준비기간 개인적인 시간포기 기회비용
전업투자자	투자규모 조정가능	마이너스수익노출 투자금

필자에게는 퇴직 후 자유로운 시간이 가장 중요하므로 전업 투자자를 가장 먼저 선택을 하였고, 투자 규모를 조정한다면 Risk를 최소화 할 수 있을 것 같았다. 사업자 대표도 선택 하였는데, 기존 업무를 기반으로 B2B로 관계를 형성한 후 비즈니스를 확장 할 수 있을 것으로 판단이 되었다. 직원과 임원은 시간적인 측면에서 구속 되므로 보류하고, 전문직도 합격 가능성이 낮으므로 제외하였다. 즉 사업자 대표와 전업 투자자를 퇴직 후 직업으로 선택하였다.

퇴직 후 직업을 고민할 때, 개인의 희망 사항을 가장 우선적으로 검토

하였으면 한다. 현재 직장보다 더 나은 직장이거나 더 좋아진 삶을 기대하고 퇴직을 하였는데 더 나빠진다면 의미가 없기 때문이다. 개인의 희망 일정표와 목표 수익을 함께 검토한 후 직업을 준비하면 선택이 더 수월해 질것이다.

퇴직 전 보다 퇴직 후의 삶이 더 힘들어 진다면
퇴직의 의미가 퇴색이 된다. 최대한 정보를 많이 얻자.

8) 사업계획 준비하기

대부분의 퇴직 예정자는 한번쯤은 사업을 고민해 보았을 것이다. 필자의 경우도 잠깐 고민 했었지만, 결국에는 법인을 설립했다. 법인세 혜택(비과밀지역 5년간 법인세면제)과 기존 해왔던 업무의 연장 선상에서 사업체가 필요했기 때문이다. 기존 업무와 연관 지어 비즈니스를 연속적으로 할 수 있다면 고민을 해보는 것은 필수이다. 하지만, 궁극적으로 사업은 파이프라인의 하나이고 필수는 아니다. 선택이다.

막상 사업을 계획하려고 고민해보면 다른 계획들 보다 가장 막연해서 구체적 이지 않고, 주위에 설명하다 보면 몽상가가 된 느낌이다. 그도 그런 것이 필자는 사업을 해본 적이 없다. 세일즈팀에도 몸 담은 적이 없다. 세일즈도 하지 않고, 사업을 필드에서 하지 않은 상태에서 손익분석만 했다고 볼 수 있다. 그러다 보니 사업을 책으로 배웠어요 느낌이다. 책으로 배웠든 세일즈를 했든, 지금은 그게 중요하지 않은 듯 하다. 처음부터 사업을 해본 사람이 없고, 중요한 건 나 스스로를 믿어야 한다는 것이다.

- 나의 능력
- 나의 커리어
- 내가 하고 싶은 일
  - 내가 사회에 기여하고 싶은 일
  - 내가 잘할 수 있는 일
  - 내가 오래 할 수 있는 일
  - 내가 관심이 많은 분야 등등

당장 수입은 예상 컨데 예전 근로소득에 비해서 보잘 것 없을 것이다. 가시밭길이 예상되고 불안감이 쌓일 것이다. 안 해본 일과 할 일들이 산적해진다. 막연하고 암담하지만 진행하면 진행할수록 깊은 저 내면의 에너지가 올라온다. 잘할 수 있었는데 내가 정말 좋아했던 것이었는데 못하고 있었던, 숨겨져 있던 나의 재능과 에너지를 발견할 시간이다. 말 그대로 사업 계획이다. 계획을 세우고 진행하면서 보완은 필수이고 시행착오도 많을 것이다. 결과도 중요하지만 그 과정에서 배우는 것이 많을 것이다. 지속적인 관심과 적절한 리스크 관리를 꾸준히 진행한다면 어느 시점부터는 수익이 창출 되고, 그 후에는 지속적으로 증가할 가능성이 높을 것이다.

믿기지 않을 것이고 필자도 똑같은 마음 이었지만 2 년 동안 해보니 그렇게 되었다. 아래 필자가 했던 방법을 참조하여 차근차근 준비해보자.

#1 기존 하고 있던 업무를 최대한 검토하여 사업 아이템을 준비하자

퇴직 후 적극적으로 창업을 하고 열심히 활동한 사업가 보다 아무것도 하지 않고 예금만 넣어두었던 퇴직자의 수익률이 평균적으로 더 좋다고 한다. 세상에 쉬운 일은 없다고 생각한다. 마케팅 초기 단계에서 중요한 부분이 시장 분석 인데, 시장을 분석하려면 적어도 내가 판매할 제품에 대해서 정확히 알아야 한다. 내가 판매할 제품을 이해하지 못한 상황에서 시장 분석을 하게 된다면, 실패할 확률이 성공 확률보다 높을 것이라 충분히 예측할 수 있다.

역설적으로 보면, 내가 잘 할 수 있는 업무와 가장 잘 알고 있는 업무를 사업과 연결 시키면 성공 확률이 실패할 확률보다 더 높다 라고 볼 수 있다. 기존에 하던 업무는 더 이상 들여다 보기 싫을 수도 있겠지만 사업성이 좋은지, 내가 나와서도 잘 할 수 있겠는지, 어떻게 연결하면 가능한지 등등 내가 했던 업무를 비즈니스로 연결할 수 있을 지에 대한 고민을 퇴직 전에 미리미리 해보면 안정적인 파이프 라인 구성에 큰 노움이 될 것이다.

필자의 경우는 CFO의 경험을 살려서 재무 자문 비즈니스를 하고 있고, 엔지니어의 경험을 살려서 시스템 통합 자문 사업을 병행 하고 있다. 기존 업무를 최대한 살려서 사업 아이템을 준비해보자.

그러한 환경이 되지 못한다면 차선책으로 최대한 잘 알고 있는 사업 아이템으로 방향을 잡자. 이때 주위 믿을 수 있는 분에게 자문은 필수이다. 업무적인 부분을 떠나서 가족에게도 물어보자. 현명한 피드백이 나올 가능성이 매우 높다.

> **결정이 어려울때는 가족과 먼저 상의하자. 리스크를 줄일 수 있다.**

#2 업무 가능 시간을 정하자

　근로 소득자였을때 제일 힘들었던 것 중의 하나는 불규칙한 업무 시간이었다. 새벽 6시부터 카톡이 울리는 건 애교에 속하고, 가끔 주말 급회의도 전날에 연락이 온다. 오후 5시에 회의가 잡히는 경우도 종종 있고, 밤 11시에 문자는 숙면을 어렵게 만든다. 크리스마스 휴가지에서 밥 먹기 전 전화가 계속 와서 식당에서 노트북을 연 것도 이제는 오래전에 추억이되었다. 당연히 그 당시에는 급하고 중요한 건 이겠지만, 개인적인 시간을 컨트롤하기 힘든 것은 사실이었다. 지금은 1주일에 3일, 12시간만 일하고 있다. 아래 시간이 현재 필자가 운영하는 법인 회사의 공식 업무 시간이다.

법인 회사 업무 시간
월요일 14:00~18:00
수요일 14:00~18:00
목요일 14:00~18:00

업무 시간이 너무 짧다고 보는 사람들도 있다. 사실 짧다. 수익도 일반 회사에서 근무하던 그때와는 비교하기가 어렵다. 대신 적게 일 하고, 더 적게 벌고, 더 적게 쓰고 있는 것에 나를 맞추어 가고 있고 점차 적응 되어가는 중이다. 일 하는 시간을 제외한 일주일은 운동과 외부모임, 글쓰기, 가족과의 시간 등으로 채워 놓았다.

시간이 너무 여유롭지 않냐고 물어보는 친구도 있다. 사실 매우 바쁘다. 근무 시간만 짧다 뿐이지 현실적으로는 15분 단위로 하루 시간을 쪼개 쓰고 있다. 그럼에도 가족과의 저녁 식사 시간은 3시간 이상을 할애해 놓아서 여유 있게 가족과 시간을 보내고 있다. 기본적인 스케줄만 소화해도 일주일은 자연스럽게 흘러간다. 추가적으로 발생하는 일이나 외부 손님의 방문 등은 가급적 업무 시간에 맞추어서 진행하고 있다. 따라서 그 시간은 매우 정신 없을 수 있으나 근무 외 시간은 스스로 컨트롤 가능한 시간들이다. 나에게 주어진 최고의 선물인 시간을 소중하게 사용하자.

시간을 지배 하는 자, 세상을 지배 할 것이다.

#3 사업자 형태를 정하자

 일반적으로 개인 사업자와 법인 사업자가 있다. 법인 사업자는 일반적으로 주식회사를 칭하며, 주식을 발행하여 주주가 인수한 주식의 인수 가액을 한도로 책임을 지는 회사이다. 각각 장단점이 있는데 가장 큰 차이점은 세금이다. 개인 사업자는 종합 소득세 대상이고 매년 5월에 신고 납부 한다. 법인 사업자는 법인세 대상이고 일반적으로 매년 3월에 신고 납부 한다. 또한 법인은 회계 결산이 확정이 된 후 법인세(법인소득세)를 납부하게 되는데 현재기준으로 세율은 이러하다.

법인세율

법인세율		
과세표준	세율	누진공제
2억이하	10%	-
2억초과~ 200억원이하	20%	20,000,000원
200억초과 ~ 3,000억원 이하	22%	420,000,000원
3,000억원 초과	25%	9,420,000,000원

 최근 뉴스에서 25% 구간을 삭제할 것이라는 내용을 본 적이 있는데, 그렇게 되면 현재 4구간에서 3구간으로 축소가 될 것이다. 개인 소득세인 종합 소득세와 비교하면 법인세의 세율 구간이 매우 단순한데 표로 비교해보면 아래와 같다.

개인 종합 소득세 vs. 법인세

종합소득세			법인세			비고
과세표준 구간	세율	누진공제	과세표준	세율	누진공제	
1,200만원 이하	6%	-	2억이하	10%	-	법인 10% vs. 개인 6~ 38%
1,200만원 초과 ~ 4,600만원 이하	15%	108만원				
4,600만원 초과 ~ 8,800만원 이하	24%	522만원				
8,800만원 초과 ~ 1.5억원 이하	35%	1,490만원				
1억 5천만원 초과 ~ 3억원 이하	38%	1,940만원				
3억 초과 ~ 5억 이하	40%	2,540만원	2억초과~ 200억원이하	20%	2,000만원	법인 20% vs. 개인 40%~45%
5억원 초과 ~ 10억 이하	42%	3,540만원				
10억원 초과	45%	6,540만원				

법인세의 과세 표준 2억 이하일 경우 세율은 10%인데 반해 개인은 6%~38% 구간으로 복잡하고 최대치도 다소 높다. 사업을 염두에 둘 경우 매출과 손익에 따라 법인 사업자의 장단점과 개인 사업자의 장단점은 분명 있을 것이다. 법인은 너무 어렵고 복잡하다고 생각하지 말고, 관심을 가지고 검토해 본다면 분명 선택의 폭은 넓어 질것이다.

상법상 법인의 자본금 제한도 풀려서 소액 자본금도 가능하고, 공유 오피스도 활성화 되어서 창업 비용도 많이 비싸지 않다. 필자의 경우는 자본금을 제외한 창업 비용으로 100만원 이내에서 진행 되었던 듯 하다. 물론 여기저기 물어보면서 시행착오를 많이 겪으면서 비용을 줄여나간 부분도 있을 것이다.

중소벤처기업부에서 '온라인법인설립시스템' 서비스를 운영하고 있다. 필자도 해당 서비스를 통해서 직접 법인을 설립하였고, 많은 도움을 받은 기억이 있다. 서비스 사이트 startbiz.go.kr에 가면 법인 설립에 관련하여 다양한 정보를 얻을 수 있다. 너무 어렵다고 생각되면 법무사에게 의뢰하는 방법도 있다. 법인등기 대행수수료는 수십 만원 선이다.

상법이 개정 되어서 자본금 제한이 완화된 상태다. 최근 법인설립 자본금은 100만원~1,000만원이 일반적이다.

#4 사업체의 장점과 단점을 파악하자

근로 소득자였을 때 출퇴근 하면서 느끼는 사무실이 사업체를 운영할 때와의 느낌은 확연히 다를 수 밖에 없을 것이다. 가장 큰 차이점은 사업체를 운영할 때는 출근하자마자 생각했던 일을 하고 회사에 꼭 필요한 일만 하고 퇴근 한다는 것이다. 시간은 짧으나 업무 효율성이 매우 높다. 비효율적인 시간으로 내 소중한 시간이 낭비되지 않는 것이 가장 좋다. 예를 들면, 회의를 위한 회의에 대한 준비는 이제 더 이상 없다고 보면 된다. 대신 조직에서의 가장 큰 장점인 업무 분산이 없어서 혼자서 다해야 하니 여러가지로 힘에 부친다. 사업 시작 후 느끼는 장점과 단점을 근로 소득자일 때와 비교하여 나열해본다. 우선 1인 법인의 장점이다.

1인 사업체 장점

- 단체 카톡 보내는 사람 없다.
- 단체 카톡 방이 친구 외에는 아예 없다.
- 새벽에 전화 오는 사람 없다.
- 밤에 전화 오는 사람 없다.
- 1분간 격으로 전화 오는 사람 없다.
- 추가 인건비가 0.
- 사무실 임대가 선택.
- 관리 운영 비용이 많지 않다.
- 웬만한 건 빌려서 쓸 수 있다.
- 회의가 없다.
- 정치 싸움이 없다.
- 내가 해야 할 일과 하고 싶은 일만 하면 된다.
- 커피가 먹기 싫은데 억지로 마실 필요가 없다.
- 출퇴근 시간이 자유롭다.

- 근무시간에 자도 된다.
- 근무시간에 신문 봐도 된다.
- 근무시간에 게임 해도 된다.
- 아이디어를 바로 실행해도 된다.
- 승인을 받지 않아도 된다.
- 출근할 때 안녕하세요 하지 않아도 된다.
- 퇴근할 때 먼저 퇴근합니다. 안 해도 된다.

반면 단점은 이러하다. 1인 법인의 단점

1인 사업체 단점

- 현실적으로 돈 벌기 어렵다.
- 동기부여 하기 어렵다.
- 외롭다.
- 때론 심심하다
- 밥 먹을 사람이 없다.
- 술 먹을 사람이 없다.
- 외부 회의갈 때 적적하다.
- 외부 회의 가면 존재감이 약하다.
- 1인 100역.
- 몸이 바쁘다.
- 게을러지기 쉽다.
- 출근해서 안녕하세요 할 사람이 없다..

1인 법인의 단점은 사실 공유 오피스가 매우 많이 보완해 줄 수가 있는데, 1인 법인과 공유 오피스의 시너지 효과를 나열하면 이러하다.

1인 법인과 공유 오피스 시너지 효과

- 밥 먹을 사람이 생긴다.
- 술 먹을 사람이 생긴다.
- 취미 생활 같이 할 사람이 생긴다.
- 커피 마실 사람이 생긴다.
- 게을러질 때 토로할 수 있다.
- 내가 도와줄 수 있는 것이 생긴다.
- 내가 도움 받는 것이 생긴다.
- 외부 회의 다녀와서 얘기할 수 있다.
- 퇴근할 때 먼저 퇴근합니다. 할 사람이 생긴다.
- 오피스 내에서 협업이 가능하다.
- 1인 법인 + 1인 법인 = 협업 가능. TFT 가능

#5 사업 등록지의 선택

법인 사업자를 등록하기로 결정 하였다면 사업 등록지를 준비하여야 한다. 일반적인 오피스 사무실이 있을 것이고, 소규모 법인일 경우 공유 오피스를 선택하기도 한다. 공유 오피스를 사용하는 가장 큰 이유는 저렴한 사용료와 초기 비용이다. 필자가 사용 중인 공유 오피스 기준으로 월 사용료 가격을 나열 하면 아래와 같은데 필자는 고정 오픈 데스크를 사용 하고 있다.

공유 오피스 월 사용료

- 비상주(주소지만 등록) 30,000원
- 고정 오픈 데스크 250,000원
- 1인실 350,000원

추가 비용을 물어보는 사람들도 있는데 이 금액 외에 크게 들어가는 비용은 없다. 주차비 정도만 있을 뿐이다. 사용 중인 오피스 기준으로 비교해보자. 공유 오피스의 공용 라운지는 개인적으로는 여러 가지 서비스가 있어서 장점이라고 생각하는데, 개인만의 공간을 원하는 사업자에게는 단점이 될 수도 있겠다.

개인적으로는 1인 법인을 설립할 경우 직접 사무실을 임대 하기 보다는 집에서 도보로 접근 가능한 적당한 곳에 공유 오피스를 우선 추천한다.

사업 초기 단계에 변수가 있을 수도 있어서 투자 비용 대비 유연하게 대처가 가능하다. 노트북만 가져가면 되고, 생각보다 커피 복사기 사무용품 서비스 등이 정말 편하다. 금액 적인 부분을 떠나서 관리 공수도 만만치 않게 들어가기 때문이다.

오피스 형태별 비교

	집	공유오피스	일반오피스 임대
가격	0	250,000원/월	예) 보증금 1,000만원 월세 50만원
장점	비용발생없음	보증금 없음, 초기비용 낮음 공용라운지, 사무용품	희망인테리어 가능 외부 인지도
단점	외부손님방문 인지도	공용라운지, 보안이슈	보증금비용, 인테리어 비용, 가구매입비용, 사무용품비
서비스	-	사무용품일체,복사기, 팩스, 데스크, 모니터, 커피, 차	-
추가비용	-	주차비 4시간 1,200원	관리비

사업을 하게 되면 길거리의 돌도 돈으로 보인다고 했다.

수익을 창출하는 것이 쉽지만은 않겠지만, 새롭게 열리게 될

오감을 적극 활용하자.

9) 회사에서 꼭 확인할 것 5가지

퇴직 전에 미리 확인하거나 준비하지 못해서 퇴직 후 후회했던 일들이 여러 건 있었다. 시간과 비용에 대하여 퇴직 전후의 체감온도는 매우 다르니 퇴직 전에 미리미리 확인할 수 있는 부분은 꼭 챙겨서 필자처럼 퇴직 후에 안타까워 하지 않기를 바란다.

#1 실업 급여

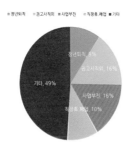

권고사직. 명예퇴직. 정리 해고 등 비자발적 조기 퇴직 비율은 41.3%에 달한다고 했다. 즉, 퇴직자의 절반 가까이는 정년 이전에 비 자발적인 조기퇴직을 한다고 볼 수 있다. 그에 해당이 될 경우 실업 급여의 청구 자격이 생기므로 인사부서에 확인하여 꼭 실업 급여를 청구할 수 있도록 하자.

고용 보험 가입자가 퇴사 전 18개월간 180일 이상 보수를 받고 비자발적으로 이직한 경우 실업 급여를 받을 수 있는데, 금액 적으로도 시기적으로도 실업 급여를 받고 받지 않는 것에는 큰 차이가 있다. 실업 급여의 지급 기간은 근무 기간에 따라 차이가 있으며, 일반적인 장기 근무일 경우를 가정해보면 50세 미만은 8개월, 50세 이상 또는 장애인일 경우 9 개월을 지급 받을 수 있다. 즉, 8-9개월 동안 최저 생활비를 지급 받으며 구직 활동을 할 수 있으므로, 받을 수 있다면 현금 흐름에 크게 도움이 된다.

실업 급여를 시뮬레이션 해보았다.(아래 이미지) 퇴직 시 만 나이 50세 미만, 고용 보험 가입 기간을 10년 이상, 1일 평균 급여 166,666원으로 가정하면, 1일 실업 급여액은 66,000원으로 240일 동안 15,840,000원을 수급이 예상된다. 8개월 동안 매월 약 2백만여 원 가까이 받게 되니 작지 않은 금액이다. 받을 수 있다면 꼭 받도록 하자. 퇴직 후 당분간 마음이 편안하다. 쉬고 있어도 죄책감이 덜하다.

실업 급여 시뮬레이션

임금계산기

	시급	연봉	퇴직금	실업급여

퇴직시 만나이 　　50세 미만

고용보험 가입기간 ⓘ 　　10년 이 상

퇴직전 3개월의 1일 평균급여액 　　166,666 원 　　16만 6,666원

1일 평균급여액 = 최근 3개월 급여액 / 최근 3개월 근무기간

1일 실업급여액 (①) 　　66,000 원

소정급여일수 (②) 　　240 일

총 예상수급액 (①x②) 　　15,840,000 원

소정급여일수는 나이와 고용보험 가입기간에 따라서 최소 120일에서 최대 270일입니다.
실업(구직) 급여는 원칙적으로 퇴직한 다음날부터 12개월이 경과하면 지급받을 소정급여 일수가 남아있더라도 더 이상 지급 받을 수 없습니다.

출처: 네이버

실업 급여 처리 프로세스 요약 (고용 보험)

- 회사에서 상실 신고서+이직 확인서 제출
- 회사에서 폐업(22), 경영상퇴사(23), 정년(31), 계약종료(32)로 상실코드 등록
- 이직일 이전 1년 6개월간 피보험 단위 기간이 180일 이상
- 퇴직자는 워크넷에 구직 신청
- 고용 보험 가이드에 따른 후 매월 실업 급여 지급

〈인터넷 수급자격 신청 대상자〉

❖ 상실신고서와 이직확인서가 모두 처리된 이직자로 아래의 요건을 모두 충족하는 사람

○ 이직사유가 폐업·도산(22), 경영상 필요 및 회사불황으로 인원감축 등에 의한 퇴사(23), 정년(31), 계약만료·공사종료(32)인 경우에만 가능

○ 이직일 이전 1년 6개월간 피보험단위기간이 180일 이상

○ 워크넷 구직신청 완료 및 온라인 수급자격 동영상교육 이수자

❖ 단, 신청 당시 만 65세 이상이거나, 마지막 이직일로부터 11개월이 경과한 사람은 인터넷 수급자격 신청서 제출 제한

실업 급여를 받을 수 있는 자격이 되면 꼭 받자.
수령액이 작지 않다.

#2 건강 검진

필자가 근무했던 회사는 매년 건강 검진을 복지의 일환으로 제공해주고 있었다. 직원은 물론, 배우자도 대상이다. 회사에서는 건강 검진을 K** 또는 **F에서 회사 비용으로 받았었는데 퇴직 후에는 내 돈을 내고 받아야 한다. 단점은 내 돈을 내서 받아야 하는 것이고, 장점은 이제 건강 검진 기관을 고를 수가 있어서 좀 더 조용하고 덜 복잡한 곳에서 그리고 집 근처 에서 받을 수가 있다는 것이다. 그리고 가장 중요한 건, 생각보다 건강 검진 비용이 만만치 않다는 것이다. 회사에서 건강 검진을 지원해주는 곳이 많을 것이다. 퇴직 전에 꼭 시간을 내서 건강 검진을 받자.

필자는 아무 생각 없고 대수롭지 않게 생각했었는지 시간이 여유가 있었음에도 불구하고 받지 않고 퇴직했다. 퇴직 후 몇 개월 뒤 건강 검진을 개인 돈을 내고 받았는데 지불 하고 나니 돈이 너무 아까워서 며칠 동안 잠을 이루지 못했다. 퇴직 후 1-2년 뒤부터는 당연히 내 돈으로 건강 검진을 받는 게 당연해서 크게 느낌이 없겠지만, 퇴직 한지 1년도 안 되었는데 내 돈을 내고 받으니 그만큼 속이 쓰리다.

개인적으로 종합 건강 검진을 받기 위해 인터넷을 찾아보니 기본적인 검진 1-20만원부터, 50만원 대부터 100만원대등 병원 규모에 따라 다양하다. 회사에서 받던 수준으로 받게 되면 50만원 정도가 예산이 될 듯 하다. 급여도 중요하지만 회사에서 받을 수 있는 복지는 꼭 챙기자. 그 중 건강 검진은 꼭 퇴직 전에 받고 나오기를 추천한다. 50만원이란 액수의 체감 온도는 퇴직 전 퇴직 후의 차이가 매우 크다. 그리고 잠이 잘 올 것이다.

건강 검진을 꼭 받고 퇴직하자. 개인으로 하면 약 50만원의 비용이 지출 된다.

#3 퇴직금과 연차 수당

퇴직금 지급법에 따르면 퇴직금 지급 기준은 평균 임금에 기초한다. 즉, 퇴직 전 3개월(정확히는 90일)동안의 실 수령 급여 액이 매우 중요하다. 임금 삭감이나 반납, 승진, 급여 인상 시점 등에 유의해서 퇴직 시기를 결정하자. 예를 들어 연초에 임금 인상이 예상된다면, 연말을 참을 수 있다면 참아보자. 퇴직 시기를 년초 이후로 몇 달간 보류하게 되면 더 유리한 퇴직금을 수령할 수 있을 것이다. 단, 상여금은 퇴직 시점부터 역으로 1년 기준, 1/12로 환산 되니 퇴직 시기와는 상관 관계가 적다. 연차 수당도 마찬가지다. 연차 수당은 평균 임금이 아닌 통상 임금을 기준으로 지급이 되는데, 매월 받는 급여가 동일하다면 평균 임금과 통상 임금을 똑같이 봐도 무방할 것이다.

퇴직 연금은 DB형과 DC형이 있는데 매월 근로자의 퇴직 연금 통장으로 입금되는 DC형은 위의 경우와는 상관 관계가 멀다. 회사에서 일괄로 관리하는 DB형일 경우일 때가 미치는 영향이 크므로 본인의 퇴직 연금 가입 형태가 DB형인지 DC형인지 사전에 꼭 확인하자.

> **퇴직 연금이 DB형일 경우 퇴직 전 3개월간 평균 임금에 비례해서 수령한다. 최적의 시기를 고려하자.**

#4 건강보험

근로소득자일 때는 건강 보험료를 급여 기준으로 근로소득자가 50%, 회사에서 50%를 납부한다. 퇴직할 경우 지역 건강 보험 가입자로 전환되며, 소유 중인 재산을 기준으로 한다. 재산의 규모에 따라서 매월 몇 만원부터 몇 십만 원 정도까지 납부하게 되므로, 사실 부담이 되는 금액이다. 따라서 부양 가족으로 등록될 수 있는 가족이 있다면 등록을 하고, 만일 등록이 어려울 경우는 차선책을 고민해 볼 필요가 있다.

국민 연금도 급여 기준으로 근로소득자가 50%, 회사에서 50%를 납부하였다. 퇴직할 경우 지역연금 가입자로 전환 되며, 개인이 100% 납부하게 된다. 단, 국민 연금은 개인의 선택이다. 월 납부도 가능하고 일시 납부도 가능하므로, 납부에 관련한 자금 계획도 고민하여야 한다.

> 건강보험 피부양자로 등록할 수 있는 가족이 있는지
> 꼭 확인하자.

#5 은행 대출

필자의 경우 퇴직 후에 상업용 부동산을 매입 했는데, 소득이 없었기 때문에 잔금 대출이 전혀 되지 않았다. 주택 담보 대출도 안되고 신용 대출도 되지 않았다. 복잡한 시기여서 그랬던 부분도 있었지만, 지금 생각해도 땀이 난다. 퇴사를 하고 나면 주택 담보 대출도 되지 않고, 신용 대출도 안 된다는 것을 필자는 잘 몰랐다. 물론 더 찾아보면 방법은 있었을 수도 있었겠지만, 일반적인 은행권에서는 접수 자체가 안되어서 난감했었다.

주택을 매입할 계획이 있거나, 주택담보 대출을 일으키거나, 신용 대출 (마이너스 포함)이 필요할 것 같으면, 퇴직 전 미리 일으키자. 퇴직 후 대출 한도 감소 또는 대출 중지가 발생할 수 있겠지만 은행에 퇴사 정보가 들어가기 전까지는 그래도 시간이 있다. 지금은 금리가 매우 올라서 대출의 매력이 떨어져 있긴 하지만, 아무 준비 없이 있다가 필자처럼 후회 하지 말고, 미리미리 준비해 두자. 인터넷 뱅크 카뱅이나 토스상품을 보면 당일 처리와 노 서류 상품들이 매우 많다. 잘 찾아보자. 대신 현금 흐름 계획은 반드시 체크해 두자.

> **퇴직 후 무소득자에게는 담보 대출, 신용 대출 모두 어렵다.**
> **대출 계획이 있다면 미리 고려하자.**

10) 퇴직할 때 조용히 떠나자

생각보다 세상이 좁아서 지금 보던 사람을 어디서 어떻게 다시 만나게 될지 모른다. 안 좋은 일이 있었다면 가슴에 묻거나, 풀 수 있다면 풀고 가자. 퇴사하기 전에는 일반적으로 조용히 지내다가 떠나는 것이 좋다. 특별히 감사해야 할 분 이 계시다면 인사를 드려도 좋다. 직원 중에 한 명의 말을 들어보면, 퇴사 후에는 수년 간 몸을 사려야 한다고 한다. 여러 가지 경로를 통해서 알게 된 바로는 퇴직을 하게 되면 생각보다 일반적이지 않은 사람들이 많다는 것이다. 회사라는 배경에 가린 채 몰래 숨어 있다가 달 뜰 때 나타나는 늑대처럼, 퇴사 후에 갑자기 변신하는 케이스들이 있다.

퇴직일 바로 다음날부터 퇴직금 빨리 왜 안 주냐고 5분 간격으로 며칠 내내 전화하던 그 사람은 퇴직금 지급 후 전화번호를 차단하게 되어 서 더 이상 연락 받을 일은 없겠지만 떠올리고 싶지는 않다. 또, 정말 착하고 순하게 생긴 사람이었는데 월급이 동결되고 일부 직급은

삭감 하고 나니 더 이상 착하고 순한 사람은 아니었다는 풍문이 있다. 우연이라도 마주치게 되면 웃으면서 "어머 어머 반가워요" 하겠지만, 그 만남을 길게 하고 싶지는 않을 듯 하고, 특히라도 길거리에서는 만나고 싶지 않다. 사람 많은 곳에 가면 변신한 사람이 없는지 살피면서 돌아 다니자.

조직에서는 기본적인 비즈니스 매너가 유독 부족하거나 커뮤니케이션 하기 힘든 사람도 많고, 조언을 충분히 수용하지 않은 케이스 들이 있다. 하지만 개인 면담을 해보면 그들은 그들대로 사유가 있고, 공감 되는 부분이 많다. 사소한 오해일 경우가 매우 많고 조금만 서로 노력하면 해결될 건수들 도 많이 보였다. 역으로 보면, 나에게도 서운한 마음이 있는 직원들도 있을 것이고, 많을 수도 있고, 또 간혹 고마워 하는 직원들도 있었을 수도 있겠다. 시간이 지나고 여러 버스를 환승하고 다시 만나게 되면 또 좋은 동료로, 직원으로, 친구로 함께 일하게 될 수 도 있겠다. 그때와는 또 다른 능력을 보유하게 되어 있을 수 있고, 여러 가지 계기로 인해 더 좋은 사람으로 나타날 수도 있을 것이다. 과거도 중요하지만 더 소중한 미래를 위해서 헤어질 때 즈음에는 말을 아끼고 좋은 점 만을 보는 것이 더 좋을 듯 하다.

길게 쓰긴 했지만, 결국 중요한 내용은 마지막에 크게 사고 치지 말라는 얘기이다. 최대한 조심하고 마무리를 안전하게 잘 하는 것이 중요하다. 퇴직하고 회사에서 전화 오는 거는 그다지 유쾌한 경험은 아니라고 대부분의 퇴직자들이 말한다.

**퇴직할 때는 최대한 더 조심하고 좋은 관계를 유지하자.
어디서 어떻게 만나게 될지 모른다.**

퇴직에 앞서 상황은 모두에게 다를 것이고 정답은 사실 없을 것이다. 중요한 것은 우리 세상은 매우 좁다는 것이고 회사가 우리 인생의 전부는 아니라는 것이다. 회사원의 삶이 있듯이 회사원의 삶이 아닌 주위에 많은 사람들이 있고, 그들의 삶이 분명 존재 하고 있다. 그 삶이 낯설 수도 있을것이고, 놀라울 일도 많을 것이다. 그 블랙박스를 열어 보는 것은 나의 자유 이고 선택이다. 준비를 최대한 많이 할수록 자유인으로의 적응은 더 용이 할것이고, 삶의 만족도는 더 높아 질 것이다. 너무 무서워 하지만은 않았으면 좋겠다. 필자는 사실 정말 밥 굶으면 어떡할지에 대한 걱정으로 잠을 이루지 못했었는데, 정말 기우였다. 현재 밥은 너무 잘 먹고 있다. 7,500원을 기억할 것이다. 내가 노력 하는 만큼 내 걱정이 줄어 들만한 수많은 선택권들이 생긴다. 나에게 선택권이 생기는 것이다. 그 안에서 올바른 선택만 하면 된다. 힘을 내자.

제4장 유용한 경제 상식 10가지

한 대기업에서 퇴직자를 위한 메뉴얼을 만들었는데, 은행에서 현금카드로 현금 인출 하는 방법이 포함 된 적이 있다. 실제로 은행을 가보면 낯설 때가 종종 있다. 세상은 너무나도 빨리 변하고 있고 안전한 회사에 근무 하고 있을 때는 더더욱 체감 하기가 어려웠다. 퇴직을 하고 나면 회사 밖 외부 환경에 대해서 스스로 많이 알고 있어야 한다. 특히 파이프라인 계획을 세울 때 참조하면 시행 착오를 줄이는 데 도움이 될것이다. 계획을 짜기 전에 미리 읽어두면 좋을 듯한 경제 흐름에 관련한 상식 10가지를 정리해 보았다. 지루한 내용들이 많긴 하지만 읽어두면 언젠가 도움 될 때가 있을 것이다.

1) 노령화 사회가 가속화

한국의 노령화가 가속화 되고 있다. 통계청의 2021년 인구 주택 조사 결과에 따르면 노령화 지수가 143.0 이고, 고령 인구가 16.8%로 871만 명에 달한다고 한다. 전년 대비 10.5명 증가한 수치이고, 5년 전에 비하면 43명이 증가한 숫자이다. 10년 전 대비 73.4명 증가한 숫자이므로 지속적으로 증가 추세다. 이대로 간다면 2026년에는 노령화 수가 186, 즉 유소년 인구 100명당 고령 인구는 186명으로 유소년 인구의 거의 2배에 달하게 된다. (아래 이미지)

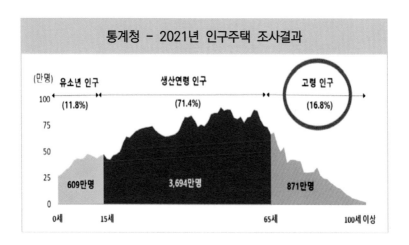

국민연금 고갈이슈

 국민연금 고갈 및 국민연금 개혁의 키워드로 종종 신문의 헤드 라인을 장식할 때가 있다. 회사 다닐 때에는 크게 신경 쓰지 않았던 기사인데 요즘 들어서는 볼 때마다 가슴이 철렁 내려 앉는다. 현실적인 문제로 다가왔기 때문이다. 노후 대책 중에 기본 중에 기본이라 생각하는 국민 연금이 고갈된다면, 생각하기도 끔찍하다.

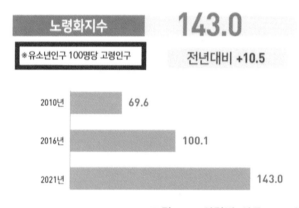

< 그림 2 > 연령별 인구, 2021년

 연금 받으시는 어른들 얘기 중에 이런 말이 있다. 국민 연금 받으면 밥은 먹고 살고, 퇴직 연금 받으면 손주 용돈 줄 수 있고, 개인 연금 받으면 여행도 갈 수 있다고 한다. 이 말은, 국민 연금을 받지 못하면 굶을 수도 있다는 얘기다. 불안하다. 국민연금법에 따르면 5년마다 국민연금의 재정 수지를 계산하여야 하며, 결과에 따라 받을 급여 수준과 납부할

보험료를 결정한다. 이러한 과정을 재정 계산이라 한다.이 발표를 항상 주시해야 하는데, 관련 기사는 항상 자극적이고 불안하다.

　노령화와 국민 연금은 매우 밀접하다. 국민 연금 수령액이 줄어들거나 고갈될 수 있는 이유 중에 노령화 지수의 증가는 매우 중요한 요인이다. 저 출산이 지속되고 생산 인력 인구가 감소 하는 현 상황으로 보면, 국민 연금 납부 액이 감소할 수 밖에 없는 것이다. 납부액이 감소하니 수령액을 줄일 수 밖에 없는 구조이며, 지속적으로 사회적 이슈가 될 것이다. 정말로 뉴스처럼 국민 연금이 고갈될까? 그럴 가능성은 낮겠지만, 만약 그렇지 않더라도 미리 대비해서 나쁠 것은 없을 것이다. 집안 어른들께서 귀에 따갑게 하셨던 말이 요즈음은 더 자주 생각난다. "연금이 최고다. 넣을 수 있을 때 무조건 많이 넣어라. " 퇴직 연금은 물론,개인연금, 주택연금, 국민연금등 종류도 다양하다.

> **가능한 한도 내에서 연금을 많이 준비 해 두자**

실버타운

노령화가 지속되고 1인가구가 증가하고 있는 현재 인구 변화를 볼 때, 신체의 상태에 따라서는 거주의 형태를 미리 준비해 둘 필요가 있다고 생각한다. 건강하면 물론 좋겠지만 세상이 뜻대로 되지 않을 수도 있다. 요즘 60대는 대부분 건강하다고 한다. 하지만 70세부터는 몸이 예전같이 않을 수 있고, 추가적인 사회적인 관계도 필요할 수 있기 때문에 혹시 모를 실버타운 입주도 고민해볼 필요가 있다.

필자는 걱정을 사서 하는 편이라 사실 30대부터 실버타운을 시간날 때마다 알아보고 있었다. 비용이 만만치 않았기 때문에 은연중에 목표 금액이 실버타운에 맞춰지고 있는 것은 긍정적인 효과라고 본다. 필자가 알아보고 있는 실버타운을 예로 들어서 서비스와 가격을 간략히 적어보면 아래와 같다.

제공 서비스
- 기본: 컨시어지, 식사, 하우스키핑, 셔틀버스 - 건강관리: 간호상담, 건강검진, 24시간 응급 - 문화여가: 전용강좌, 취미활동, 동호회 - 스포츠: 휘트니스, 수영장, 골프연습장 - 부대 시설: 노래방, 당구장, 게이트볼장

년 지출 비용계산(2인기준)을 계산해보면 (750,000 + 4,270,000) *

12개월 = 60,240,000원 이다.

입주 비용
- 보증금 2.3억 ~ 3.1억 - 월세 75만원 - 월 생활비 249만원(1인) 427만원(2인) 87 - 월 생활비는 식사비 포함 - 전용 15평 기준

　계산 결과를 보면 생각 보다 매우 많은 금액이다. 한 달에 거의 500만원 정도의 비용이 필요하고, 보증금에 대한 기회 비용도 차감이 된다. 예산 초과와 고 비용으로 선뜻 결정하기는 어려운 문제이다. 중요한 문제는 내가 고령 인구 그룹에 속해 졌을 때, 거동이나 사회생활에 어려움이 없느냐 이다. 독자적으로 생존하기 위해서는 지금부터라도 끊임없는 운동과 원활한 사회적인 관계를 유지해 가야 할 것이다.

노후에 부득이한 비용이 발생하지 않도록, 미리 운동 하고 관리 하자.

실버교육

　회사에서 상사였던 철인 3종 경기가 취미이신 부장님께서 계셨다. "배움에 항상 목이 말라야 한다" 라고 항상 강조를 하셨는데, 그 말을 해주신 부장님께 지금도 정말 감사하게 생각하고 있다. 현실에 대한 자각도 있었고 그 말씀이 항상 마음에 걸려서, 사회생활 내내 쉬지 않고 공부 했던 듯 하다. 중도에 포기한 과정도 있었고, 잘못된 선택 이었던 시간도 있었다. 집중하지 않고 흘러버린 시간도 있었다. 결과도 정말 중요하지만 그 과정에서 배운 것들이 내 인생의 버팀목이자 원동력이 되었다.

　사회생활을 할 때 무기를 여러 개 준비 해야 한다고 한다. 여러 개를

준비해 두면 다양한 상황 중 맞는 무기를 꺼내서 사용하면 된다. 혹시라도 필요하면 옆 사람에게 빌려주거나 판매 할 수도 있다. 시간이 여유로울 때 지식의 공유로 삶을 더 풍부하게 할 수도 있다. 나이가 들어갈수록 그 무기들은 더욱더 진가를 발한다. 근로소득자일 때는 소속된 회사에 필요한 무기가 아니면 쓸 곳이 많지 않았었는데 지금은 지극히 정반대이다. 내가 필요한 것이 바로 무기가 된다. 내가 필요한 무기가 삶의 원동력이 되고 내 시간을 더 풍요롭게 해준다. 어느 시점에서는 그 무기가 수익을 창출하고 있다.

회사를 퇴직하더라도 배움을 멈추지 말자. 회사에 필요했던 무기보다 나에게 필요한 더 강력한 무기를 준비하자. 나이가 들면 들수록 더 빛을 발하는 내가 아끼고 좋아해줄 수 있는 무기. 어떻게 준비 하냐고? 이 나이에 언제 공부 하냐고? 걱정하지 않아도 된다. 이미 갖고 있을 가능성이 매우 높다. 회사에서 필요 없다고 해서 내 마음속 구석 어딘가에 꼬깃 꼬깃 숨겨 놓은 나만의 비장의 무기를 이제는 꺼낼 때다. 꺼내서 조금만 다듬으면 더 좋다.

> **숨겨 두었던 나의 능력을 이제는 꺼내보자**

2) 1~2인 가구 증가

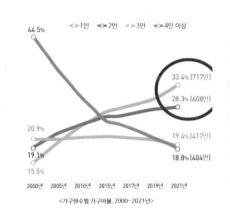

2021년 인구주택 조사결과에 따르면, 3인 이상 가구가 -2.5%(-21만 가구) 감소했다. 그렇다는 것은 1-2인 가구가 증가할 것이라고 예상할 수 있는데 실제로도 증가 했다. 1인 가구는 7.9% (52만 가구) 증가, 2인

가구는 3.6% (21만가구) 증가 해서, 1인~2인 가구 비율은 총 61.7%로 1,325만 가구로 증가 된 상태다. 현재의 추세로 볼 때 증가 감소 폭은 격차가 더 심해질 것으로 보여진다.

< 그림 40 > 1인가구 구성비, 1980~2021년[R]

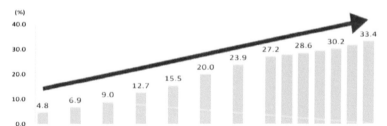

그 중에서 1인 가구의 증가가 눈에 띄고 있고, 일반 가구의 33.4%

40대에 퇴직할 때 준비할 것 10가지

(7,166천 가구)로 전년대비 7.9% 증가했고 앞으로도 더 증가할 추세이다.

눈 여겨 봐야 할 부분은 전년 대비 가장 많이 증가한 연령대는 60대로 13.2%(137천 가구)가 증가 했고, 80대도 11.5% 증가하여 2번째로 많이 증가한 연령대로 확인이 되었다. (아래 표)

< 표 48 > 성·연령별 1인가구, 2020~2021년

(단위 : 천 가구, %, %p)

연령		2020년			2021년			증감			증감률		
		계	남자	여자	계	남자	여자	계	남자	여자	계	남자	여자
1인가구	계	6,643	3,304	3,339	7,166	3,584	3,582	522	279	243	7.9	8.5	7.3
	20대이하	1,343	686	657	1,418	724	694	74	38	37	5.5	5.5	5.6
	30대	1,116	715	401	1,226	783	443	111	68	43	9.9	9.5	10.6
	40대	904	572	332	950	604	347	46	31	15	5.1	5.5	4.6
	50대	1,039	595	445	1,101	637	464	61	42	19	5.9	7.1	4.3
	60대	1,039	451	588	1,176	521	655	137	70	67	13.2	15.6	11.4
	70대	733	199	534	771	217	554	38	18	20	5.2	9.1	3.8
	80대이상	470	87	383	524	99	425	54	12	42	11.5	13.5	11.0
계		100.0	100.0	100.0	100.0	100.0	100.0	-	-	-	-	-	-

1~2인 가구가 절반을 넘어서 61.7%를 차지하고 있고, 60대 이상 1인 가구가 눈에 띄게 증가중이다.

3) 1인당 평균 생활비 90만원

가구당 평균 생활비는 사실 가구 별로 차이가 있을 수 밖에 없다. 파이프라인의 목표 금액을 산정할 때 기준점이 명확하지 않으므로 각종 기관인 하나은행, 보건복지부, 대법원에서 고시한 평균 생활비를 참조하여 기준점으로 가정하고자 한다.

하나은행에서 발행한 2021 한국 부자 보고서

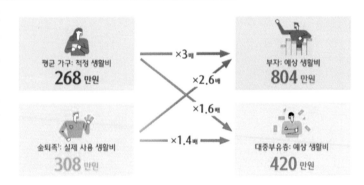

부자와 대중부유층의 은퇴 후 필요 경비 (월 평균, 가구 기준)

평균 가구: 적정 생활비
268 만원

×3배

부자: 예상 생활비
804 만원

×2.6배

×1.6배

숨퇴족¹: 실제 사용 생활비
308 만원

×1.4배

대중부유층: 예상 생활비
420 만원

1) 숨퇴족은 50대 이상 퇴직자들 중 '노후자금이 충분하다'고 스스로 평가한 사람들
자료: 평균 가구는 국민연금연구원의 국민노후보장패널 8차 조사, 2019
자료: 하나금융그룹 100년 행복연구센터 '생애보고서(50대 이상 퇴직자 1,000명 대상 설문 조사)', 2020

하나은행에서 발행한 2021 한국 부자 보고서에 따르면, 평균 가구의 적정 생활비는 268만원이다. 금퇴족(50대 이상 퇴직자 중 노후 자금이

충분하다고 평가한 사람들)은 308만원, 부자들의 예상 생활비는 804만원, 대중 부유층의 예상 생활비는 420만원으로 각 그룹당 은퇴 후 필요 경비는 다소 차이가 있다. 우선은 평균 가구의 적정 생활비를 평균 가구원 수인 3인으로 나누게 되면 1인당 893,333원으로 가정할 수 있다. (위 이미지)

보건복지부 2022년 고시

보건복지부에서 고시한 2022년 기준 중위 소득은 1인 가구 기준 1,944,812원이고, 생계 급여의 최저 보장 수준은 583,444원이다. (아래 표)

1. 기준 중위소득

「국민기초생활 보장법」 제2조제11호에 따라 급여의 기준 등에 활용하는 '기준 중위소득'을 다음과 같이 정한다.

구 분	1인가구	2인가구	3인가구	4인가구	5인가구	6인가구	7인가구
금액(원/월)	1,944,812	3,260,085	4,194,701	5,121,080	6,024,515	6,907,004	7,780,592

* 8인 이상 가구의 기준 중위소득: 1인 증가시마다 873,588원씩 증가(8인가구: 8,654,180원)

2. 생계급여의 선정기준 및 최저보장수준

「국민기초생활 보장법」 제6조 및 제8조제1항과 제2항에 따른 '생계급여의 선정기준 및 최저보장수준'을 다음과 같이 정한다.

1) 선정기준

구 분	1인가구	2인가구	3인가구	4인가구	5인가구	6인가구	7인가구
금액(원/월)	583,444	978,026	1,258,410	1,536,324	1,807,355	2,072,101	2,334,178

* 8인 이상 가구의 선정기준: 1인 증가시마다 262,076원씩 증가(8인가구: 2,596,254원)

2) 최저보장수준

생계급여의 최저보장수준은 생계급여와 소득인정액을 포함하여 생계급여 선정기준 이상이 되도록 한다.

생계급여액 = 생계급여 최저보장수준(대상자 선정기준) - 소득인정액

대법원 2022년 공시

대법원에서 공시한 개인 회생 관련 부양 가족별 최저 생계비는 1인 가구 1,166,887원, 2인 가구 1,956,051원, 3인 가구 2,516,821원, 4인 가구 3,072,648원 이다. 세 곳의 최저생계비가 차이가 있는데, 평균을 내어보면 아래와 같다. 산출된 평균 금액을 계산의 편의상 반올림을 하게 되면, 1인 가구 900,000원, 2인 가구 1,600,000원, 3인 가구 2,200,000원, 4인 가구 2,800,000원이다. 표로 정리 하여보면 아래와 같다.

기관별 최저 생활비 (월)

가구수	하나은행 부자보고서 (1)	보건복지부 공시 (2)	대법원 공시 (3)	평균 Avg(1+2+3)	평균 (만단위올림)
1인가구	893,333	583,444	1,166,887	881,221	900,000
2인가구	1,786,666	978,026	1,956,051	1,573,581	1,600,000
3인가구	2,679,999	1,258,410	2,516,821	2,151,743	2,200,000
4인가구	3,573,332	1,536,324	3,072,648	2,727,435	2,800,000

해당 금액으로 연간, 5년간 최저생활비, 10년간 최저 생활비 등을 계산해보면 금액은 이러하다. 즉, 부부 생활비로 한정하게 되면 2인 기준으로 년간 19,200,00원, 5년간 96,000,000원이 있으면, 추가적인 수익이 없어도 기본적인 생활은 가능하다는 통계자료이다. 1인 가구일 경우는 5년간 54,000,000원, 3인 가구일 경우는 5년간

132,000,000원이 최저 생활비 평균금액이다. 즉, 1인 가구 최저
생계비는 900,000원 인데, 해당 금액을 기준으로 다음 장에서
파이프라인을 정리해 보겠다.

년간 최저 생활비

가구수	1개월	1년	5년	10년	20년
1인가구	900,000	10,800,000	54,000,000	108,000,000	216,000,000
2인가구	1,600,000	19,200,000	96,000,000	192,000,000	384,000,000
3인가구	2,200,000	26,400,000	132,000,000	264,000,000	528,000,000
4인가구	2,800,000	33,600,000	168,000,000	336,000,000	672,000,000

1인당 평균 월 기본 생활비는 900,000원, 1년간 평균 생활비는 2인
기준 19,200,000원이다.

4) 온라인. 비대면 업종 창업 증가세 지속

중소벤처기업부	보 도 자 료	다시 도약하는 대한민국 함께 잘사는 국민의 나라

보도 일시	(지 면) 2022. 8. 31. (수) 석간 (인터넷) 2022. 8. 31. (수) 06:00	배포 일시	2022. 8. 30. (화) 15:00
담당 부서	중소기업정책관 정책통계분석과	책임자	과 장 강호정 (044-204-7470)
		담당자	사무관 정해진 (044-204-7471)

상반기 창업 69만 5,891개, 온라인 · 비대면 업종 증가세 지속
- 2022년 상반기[1~6월 누계] 창업기업 동향 -

□ 상반기(누계) 창업은 전년동기대비 0.7%(4,022개) 감소(부동산업 제외 시)
□ 온라인·비대면화 등으로 도·소매업, 정보통신업은 지속 증가
□ 기술기반업종창업은 전년도 역대 최고 실적에 따른 기저효과로 전년
동기대비 소폭(0.9%) 감소

중소벤처기업부 보도자료에 따르면 매년 사업자가 증가 중이고, 법인 사업자, 일반 사업자 모두 증가 중이다. (아래 그래프) 그중에서 비대면 업종인 온라인 업종 및 온라인 기술 창업은 증가세가 지속 되고 있으나, 대면 사업 업종들은 매년 감소 추세이다.

올해 상반기에도 창업이 69만여건, 온라인, 비대면 업종의 증가세가 지속 중이다(아래 보도자료). 귀농 인구 증가 등으로 농.임.어업및광업(11.6%) 창업이 증가했고, 온라인 쇼핑몰을 중심으로 한 도.소매업(4.3%)도 증가했다. 다만, 부동산업(18.9%) 숙박음식점업(11.9%) 등은 창업이 감소했다.

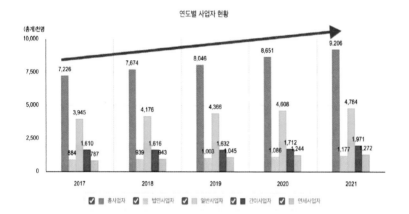

연도별 사업자 현황

출처 - e나라지표

정보통신업 창작.예술.여가업 증가

눈 여겨 보아야 할 부분은 코로나19에 따른 비대면화 가속화에 따라서 정보통신업은 9.1% 증가했고, 창작.예술.여가업 및 교육 서비스업도 모두 증가 중이라는 것이다. 반면, 제조업 및 사업지원 서비스업은 모두 감소 중이다. (아래 보도자료)

< 기술창업 업종별 창업 수 및 증감률 >

(단위 : 개, %)

구분	기술창업	제조업	정보통신	전문· 과학·기술	사업지원	교육	보건· 사회복지	창작· 예술·여가
'21.상	122,444	24,974	22,444	32,468	15,277	20,910	2,694	3,677
'22.상	121,289 (△0.9)	22,055 (△11.7)	24,495 (9.1)	31,748 (△2.2)	14,327 (△6.2)	21,822 (4.4)	2,542 (△5.6)	4,300 (16.9)

* ( ) : 전년동기대비 증가율(%)

5) 숙박.음식점업 부동산업 창업 감소

도.소매업은 증가세가 지속되고 있으나, 대면 업종인 숙박.음식점업은 감소하고 있다. (아래 보도자료) 부동산업은 2021년 상반기에 급감 한데 이어 2022년 상반기에도 감소하고 있다. 기술 창업은 2021년 상반기 역대 최고 실적에 따른 기저 효과로 소폭 감소하였다.

< 업종별 창업 수 및 증감률 >

(단위 : 개, %)

구분	전체 창업	도·소매	숙박음식점	개인서비스	부동산업	기타	기술창업
'21.상	730,260	220,921	84,041	29,966	160,673	112,215	122,444
'22.상	695,891	230,414	74,040	29,215	130,326	110,607	121,289
	(△4.7)	(4.3)	(△11.9)	(△2.5)	(△18.9)	(△1.4)	(△0.9)

★ ( ) : 전년동기대비 증가율(%)

30대를 제외한 모든 연령대에서 창업이 감소

연령별로 보면 30대를 제외한 모든 연령대에서 창업이 감소했다. 특히 부동산업 창업이 크게 감소하면서 50~60대의 창업 감소가 두드려졌다. 기술창업도 30대를 제외한 전 연령대에서 감소했다. (아래 보도자료)

창업으로 성공하기가 하늘에 별 따기만큼 힘들다고 한다. 최근 대면업종들(숙박.음식점. 부동산등)이 감소하고, 비대면 업종 (정보통신. 창작.예술.여가업등)이 증가하였다. 사업을 준비할 때 이러한 시장의 동향을 잘 보면서 방향을 잡아가면 Risk를 줄여 나갈 수 있을 것이다.

< 연령별 창업 수 및 증감률 >

(단위 : 개, %)

구 분		청년층(39세 이하)			40대	50대	60세이상
		30세미만	30대	소계			
전체 창업	'21.상	92,413	165,464	257,877	195,963	169,974	105,446
	'22.상	86,498	166,162	252,660	189,072	156,294	96,578
		(△6.4)	(0.4)	(△2.0)	(△3.5)	(△8.0)	(△8.4)
부동산업 제외	'21.상	85,077	143,888	228,965	151,949	120,349	67,550
	'22.상	80,103	146,930	227,033	153,384	116,937	67,191
		(△5.8)	(2.1)	(△0.8)	(0.9)	(△2.8)	(△0.5)
기술 창업	'21.상	13,897	30,872	44,769	38,681	26,768	12,081
	'22.상	13,215	31,530	44,745	38,613	26,089	11,684
		(△4.9)	(2.1)	(△0.1)	(△0.2)	(△2.5)	(△3.3)

★ ( ) : 전년동기대비 증가율(%)

통계수치는 중소벤처기업부(mss.go.kr)와 국가통계포털 (kosis.kr)에 공개되며 분기별로 보도자료를 발표한다.

창업 통계 자료를 확인하여 전체적인 시장 흐름을 파악하자

6) 종합소득세

　종합소득 납세대상자는 매년 5월 종합소득세를 신고하여야 한다. 단, 근로소득만 있는 자로서 연말정산을 한 경우는 종합소득세를 신고하지 않아도 된다. 따라서, 퇴직 전에는 매년 초 회사에서 진행하는 연말정산을 하고 나면 소득세 신고 납부는 종료 된다. 하지만 퇴직 후에는 종합소득세 신고 대상이 될수 있으므로, 미리 세목을 알아두어 세금이 미납되거나 과태료를 납부하는 일들이 안 생기도록 미연에 준비 해두자. 필요시 주위 세무사와도 상의 하면 더 좋다.

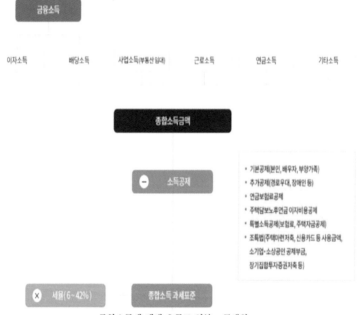

종합소득세 세액 흐름도 일부 - 국세청

근로소득

대부분 근로자의 소득세 관련 흐름을 보면, 매월 급여 소득액 기준으로 근로소득세를 원천⑨수하고 회사에서 국세청에 신고하고 납부한다. 매년 1분기에 연말정산을 진행 한후에 일부분은 소득세를 환급 받고 일부는 소득세를 추가 납부한다. 마찬가지로 이후 회사에서 국세청에 신고하고 납부하거나 환급 받는다. 근로자 관점에서는 매월 소득세 납부와 매년 1회 연말정산 하므로 상대적으로 절차는 간단하다.

위 국세청에서 가져온 종합소득세 세액 흐름도를 보면, 금융소득 즉 이자소득과 배당소득은 2천만 원 이하는 분리세로 표시하였고, 사업소득 (부동산임대 포함) 근로소득 연금소득 기타소득을 종합소득세 대상으로 구분해두었다. 즉, 근로소득세는 종합소득세 중 일부이고, 퇴직 후에는 근로소득세를 제외한 다른 소득세와 자주 접하게 된다. 따라서 새롭게 보이는 소득들과 친해질 필요가 있고, 자주 보는 만큼 가계 경제에 도움이 많이 될 것이다.

금융(이자/배당)소득

쉽게 말해서 이자소득세는 은행 예적금에서 따박따박 들어오는 이자에 대한 세금이다. 배당소득세는 배당주식을 통해서 들어오는 배당에 대한 세금이다. 사실 근로소득자일 때는이자/배당소득세에 대하여 크게 관심이 없었다. 퇴직 후에는 정말 유용한 소득 중에 하나 이므로 금리인상과 은행상품에 매우 관심이 많아질 수 밖에 없는듯 하다. 비과세, 세금우대, 절세상품, ISA, 배당주식 등등 들여다보면 안정적으로 수익을 창출할 수 있는 상품들이 매우 다양하므로, 시간과 기회가 허락할 때마다 수시로 들여다보면 좋을 듯 하다. 여윳돈의 50%이상을 우선적으로 안정적인 은행 상품에 가입하는 것을 추천하는 전문가들도 많다.

일반적인 은행저축상품에 대한 이자소득의 경우, 14%의 이자소득세 + 농특세(이자소득세의 10%) 1.4%가 부과되어 총 합계 이자소득세는 15.4%가 부과된다. 일반적인 배당소득의 경우도 이자소득세와 동일하게 합계 15.4%가 부과된다. 생각보다 높다. 그래서 비과세 상품들이 중요하다. 널리 알려진 비과세 상품에는 비과세 종합저축과 ISA가 있다.

비과세종합저축은 일반적으로 널리 알려진 비과세 상품이며, 이전에는 생계형저축이라는 상품명으로 판매가 되었다. 2015년 생계형저축과 세금우대종합저축이 통합되어 판매 시작한 저축상품이다. 저소득자의 생계안정을 위한 예금으로 2015년 1월 1일부터 판매 중인데 가입자격은 제한적이다. 비과세 한도는 전 금융기관 합산 1인당 5천만 원까지이다. 이 말은 이자 소득세율 15.4%에 대해서 비과세로 이자에 대해서 세금이 전혀 없다는 것이다. 적금을 가입할 때 가능하다면 비과세부터 가입 하자. 가입자격을 보면 아래와 같다.

비과세종합저축 가입자격

- 만 65세 이상의 거주자 장애인
- 국가유공자
- 국민기초생활보장법 수급대상자등

비과세종합저축

일정 요건을 갖춘 만 65세 이상의 거주자, 장애인 등에게만 가입이 허용되는 이자소득에 대한 소득세가 전액 면제되는 비과세 상품입니다.

● **세제혜택 자격기준**

› 가입대상   아래 기준에 해당하는 자
     만 65세 이상의 거주자
     장애인복지법 제32조의 규정에 의하여 등록한 장애인
     국가유공자등예우및지원에관한법률 제6조의 규정에 의하여 등록한 상이자
     국민기초생활보장법 제2조제2호의 규정에 의한 수급자
     독립유공자예우에관한법률 제6조 규정에 의해 등록된 독립유공자와 그 유족 및 가족
     고엽제후유의증환자지원등에관한법률 제2조제3호의 규정에 의한 고엽제후유의증환자
     5.18민주유공자예우에관한법률 제4조제2호의 규정에 의한 5.18민주화운동 부상자
     소득요건 추가 : 직전 3개 과세기간 내 1회이상 금융소득종합과세 대상자는 제외 (2020.01.01 개정)

› 가입기간   제한없음(단, 판매상품별 기한 내)

› 부과세율   비과세(일반과세 시 15.4%부과)

› 가입한도   전 금융기관 모든 가입 금액을 합하여 1인당 원금 5,000만원까지

› 가입상품   모든 예금상품(가입 시 세제구분으로 선택)

› 가입방법   영업점방문 또는 비대면계좌개설(가입대상 증명서류 제출후 개설가능)

출처: 신한저축은행

ISA (Individual Savings Account 개인종합자산관리)는 예. 적금, 펀드, ETF, 주식 등 판매중인 금융상품에 투자하면 200만원까지 비과세 혜택을 주는 상품이다. 2016년에 신탁형과 일임형이 출시 되었고, 2021년에는 고객이 직접 국내 주식 등에 투자가 가능한 중개형이 출시되었다. 계좌 내 상품/기간 손익을 통합 후 순소득 중 200만원까지 비과세이고, 200만원 초과 분에 대해서도 9.9% 분리과세 혜택이 있다. 총 급여가 5,000만원 이하 근로자이거나 종합소득 3,800 만원 이하 사업자는 400만원까지 비과세가 된다.

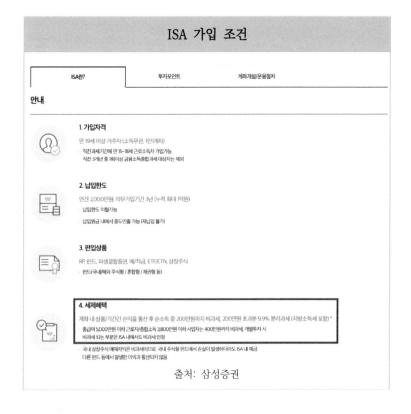

출처: 삼성증권

신탁형과 일임형은 관리해주는 장점이 있으나, 수수료가 발생한다. 중개형은 직접 관리할 수 있으며, 수수료가 발생하지 않는 장점이 있다. 개인의 투자 선호도에 따라서 선택하면 좋을 듯 하다. 필자는 ISA 계좌로 국내에 출시한 미국 S&P500 ETF 와 배당주식을 주로 거래 하고 있다.

금융소득 비과세를 위하여 비과세종합저축 상품의 가입조건을 확인하고, 주식 거래용으로 ISA 가입을 검토 해보자.

사업소득(부동산 임대)

국세청에 따르면 법령에서 정한 원천⑨수 대상 사업소득을 지급하는 경우, 이를 지급하는 자는 소득세를 원천⑨수 해야 한다. 원천⑨수 사업소득자는 의료보건용역(수의사의 용역 포함), 저술가, 작곡가 등이 직업상 제공하는 인적 용역이 포함된다. 즉, 개인이 물적 시설 없이 근로자를 고용하지 아니하고 독립된 자격으로 용역을 공급하고 대가를 받는 인적 용역을 의미한다고 한다.

일반적으로는 회사에 고용되지 않은 특정 분야 전문가들 즉, 프리랜서들이 사업소득세 대상이다. 주위를 보면 IT개발, 작곡, 무용, 만화, 가수, 배우, 건축, 음악, 직업 운동가 등 매우 다양한 직업 군을 만날 수 있다. 일반적인 사업소득세는 3%의 사업소득세 + 농특세(사업소득세의 10%)가 부과되어 총 3.3%가 부과된다. 예를 들어 일반적인 법인에서 경영 자문 계약서를 작성 후 자문 수수료를 수령 하였다면, 사업소득으로 3.3%를 원천징수 후 지급받게 된다. 자문수수료는 상대적으로 간단하다.

복잡한 건 부동산임대업인데 부동산임대업에서 발생하는 소득도 사업소득에 해당한다. 특이한 점은 결손금 발생시에는 해당 과세기간의 다른 소득금액에서 공제하지 않고 이월 시켜 다음 과세기간 이후에 부동산임대업의 소득금액에서만 공제한다. 소득신고 진행할 때 구분해서

입력해야 할 듯 하다. 아무리 봐도 어렵다. 사업소득의 일반적인 3.3%
세율은 기본적으로 기억하자. 사업소득은 업무 특성상 모호한 상황이
발생할 수 있는데, 국세청에서 공지한 판례를 첨부한다.

-고용관계 없이 독립된 자격으로 인적 용역을 제공하는 경우에는사업소득(인적 용역
소득)이나 고용관계에 따라 근로를 제공하고받는 대가는 근로소득에
해당함(서면1팀-527, 2006.4.26.)
-전문적 지식을 가진 자가 고용관계 없이 독립적 지위에서 계속적· 반복적으로 당해
지식을 활용하여 용역을 제공하고 그 대가를 지급받는 경우에는 사업소득, 일시적으로
용역을 제공하고 지급받는 대가는 기타소득으로 구분함(소득-256, 2008.7.28.)
-연예인 및 직업운동선수 등이 사업활동과 관련하여 받는 전속계약금은 사업소득으로
하는 것임(조심 2009부218, 2009.3.5)
-부동산을 담보로 설정하고 금전을 대여한 금전대부업자가 해당 부동산을 경매신청하고
사업자등록을 폐업한 후 해당 부동산이 경락 되어 원리금을 지급받는 경우 해당
이자는 사업소득에 해당함 (법규소득 2014-185, 2014.6.30.)

> **퇴직 후 자문을 하거나 프리랜서 활동을 하면 일반적으로**
> **사업소득세 3.3%를 원천징수 한다.**

연금소득

연금소득은 연금 소득자가 연금을 수령할 때 발생하는 소득을 말한다. 공적연금 소득과 그 외 연금계좌에서 수령하는 사적연금 소득으로 나눠지며, 연금소득 공제액을 차감한 연금소득 금액이 종합소득에 합산되어 과세된다. (사적연금 1,200만원 이하 분리과세) 일반적으로 떠올리는 공적 연금으로는 국민연금이 있고, 사적 연금으로는 연금저축보험, 연금저축펀드와 퇴직연금 (개인형퇴직연금계좌, IRP)이 있을 것이다. 일반적으로는 가입자가 55세가 될 때부터 연금 종류에 따라 수령 개시 요청을 하게 되고 수령하게 된다.

◈ 공적연금 이외의 연금(사적연금)
　◎ 원천징수세율을 적용하되 ①과 ②의 요건을 동시에 충족하는 경우 낮은 세율을 적용

구분		세율
① 연금소득자의 나이	70세 미만	5%
	70세 이상 80세 미만	4%
	80세 이상	3%
② 사망할 때까지 연금수령하는 종신계약* 에 따라 받는 연금 * 사망일까지 연금수령하면서 중도 해지할 수 없는 계약		4%
③ 이연퇴직소득의 연금수령	(이연퇴직소득세/이연퇴직소득) × 70%(60%*)	

* ' 20.1.1. 이후 연금수령분부터 실제수령연차가 10년을 초과하는 경우 60% 적용

출처: 국세청

비과세 연금 소득으로는 공적 연금 관련법에 따라 받는 유족연금, 장해연금, 상이연금, 연계노령 유족연금 및 연계퇴직 유족연금과 산업재해 보상 보호법에 따라 받는 각종연금 등이 있다. 연금소득세는 다소 복잡한데 대략적으로 나열하면, 공적 연금은 원천⑨수의무자가 공적연금 소득을 지급할 때 연금소득간이세액표(소득세법시행령 별표3)의

세액을 기준으로 하고, 사적 연금은 연금소득자의 나이에 따라 5%~3%, 종신계약에 따라 받는 연금은 4%의 세율을 적용한다. (위 국세청 자료 이미지)

　언뜻 보면 매우 많은 세금을 내야 할 것으로 보이는데, 연금소득 공제를 적용하면 어느 정도 세금이 감소하게 된다. 최종 연금소득 금액은 총 연금에서 연금소득공제(년 900만원 한도)를 차감한 금액이다.

⊘ 연금소득공제(소득세법 제47조의2, 900만원 한도)

총 연금액	공 제 액
350만원 이하	총 연금액
350만원 초과 700만원 이하	350만원+(350만원을 초과하는 금액의 40%)
700만원 초과 1400만원이하	490만원+(700만원을 초과하는 금액의 20%)
1400만원 초과	630만원+(1400만원을 초과하는 금액의 10%)

출처: 국세청

최종 연금소득금액 = 총 연금 − 연금소득공제

기타소득

　기타소득은 퇴사 후 필자에게 가장 먼저 발생한 소득세인데, 네이버 창작료가 기타소득으로 들어온다. 연간 지급 금액이 125,000원을 초과하는 경우 소득세법에 따라 소득세 및 주민세 등을 원천⑨수 후 잔여금액이 지급하게 된다. 네이버 에드포스트에서 발생하는 수입은 개인회원의 경우 회원이 지정한 계좌로 지급이 되며, 지급할 때 제세공과금(3.3%)를 원천 ⑨수한 나머지 금액이 지급된다.

　기타소득은 이자소득, 배당소득, 사업소득, 근로소득, 연금소득, 퇴직소득 및 양도소득 외의 소득 중 과세대상으로 열거한 소득을 말한다. 주위에서 볼 수 있는 주요 기타 소득으로는 복권당첨금, 상금, 보상금, 골동품, 종교인소득, 인적 용역 소득, 사례금 등이 있다.

사 례　강의료·원고료 소득구분

구분	판단	소득구분
	고용 관계	근로소득
강 의 료	프리랜서	사업소득
	일시, 우발적 소득	기타소득
	회사 사보 게재	근로소득
원 고 료	프리랜서	사업소득
	일시, 우발적 소득	기타소득

그 중 인적 용역 소득이 빈번한데, 문예. 학술. 미숙. 음악 또는 사진에 속하는 창작품에 대한 원작자로서 받는 소득이라고 국세청에서 명시하고

있다. 인적 용역을 일시적으로 제공하고 받는 대가가 모두 기타소득으로 국세청에서 강의료와 원고료 소득 구분을 보면 위 표와 같다.

 일반적인 기타소득은 상대적으로 소액이 많아서 2가지는 기억해둘 필요가 있다. 첫 번째는 기타소득 과세 최저한인데, 기타소득금액이 매 건마다 5만원 이하인 경우 비과세에 해당한다. 두 번째는 기타소득의 필요경비인데, 강연료일 경우 필요 경비를 60% 산정하여 차감한 금액이 세액기준이 된다.

 국세청에 나와있는 사례를 보면 강연료를 125,000원 지급했을 경우 기타소득금액은 50,000 원이며, 원천징수세액은 0원이다. 강연료 125,000원에서 필요경비 60%를 차감하여 세액기준 액이 50,000원이 되었고, 과세 최저한 50,000원을 적용하여 비과세가 된 것이다. (아래사례)

◎ 그 밖의 기타소득금액(연금계좌 세액공제를 받은 금액 등을 연금외 수령한 소득 제외)이 매 건마다 5만원 이하인 경우

　【사례】 강연료 등 일시적인 인적용역의 제공 대가로 125,000원을 지급하였다. 기타소득금액과 원천징수세액은 얼마인가?

　　· 기타소득금액 : 50,000원
　　　50,000원 = 125,000(기타소득 지급액) - 75,000원(필요경비 60%)
　　· 원천징수세액 : 0원(∵ 건별 기타소득금액이 5만원 이하로 과세최저한에 해당함)
　　· 기타소득이 125,000원을 초과하는 경우 '기타소득 지급액 × 8.8%'를 원천징수(지방소득세 포함)

✅ 기타소득의 필요경비

　기타소득금액은 해당 과세기간의 총수입금액에서 이에 소요된 필요경비를 공제한 금액임
　기타소득금액 = 총수입금액 - 필요경비
　* 필요경비에 산입할 금액은 해당 과세기간의 총수입금액에 대응하는 비용으로서 일반적으로 용인되는 통상적인 것의 합계금액

강연료등을 기타소득으로 받게 될 경우, 비과세 한도와 필요경비 60%를 함께 검토하면 수익측면에서 더 유리하다.

40대에 퇴직할 때 준비할 것 10가지

종합소득

금융소득

이자소득　　배당소득　　사업소득(부동산임대)　　근로소득　　연금소득　　기타소득

종합소득금액

(－) **소득공제**
* 기본공제(본인, 배우자, 부양가족)
* 추가공제(경로우대, 장애인 등)
* 연금보험료공제
* 주택담보노후연금 이자비용공제
* **특별소득공제(보험료, 주택자금공제)**
* 조특법(주택마련저축, 신용카드 등 사용금액, 소기업·소상공인 공제부금, 장기집합투자증권저축 등)

(×) **세율(6~42%)** **종합소득 과세표준**

산출세액
* 특별세액공제(보험료, 의료비, 교육비, 기부금, 표준세액공제)
* 기장세액공제
* 외국납부세액공제

(－) **세액공제·세액감면**
* 재해손실세액공제
* 배당세액공제
* 근로소득세액공제
* 전자신고세액공제

* 무신고가산세
* 과소(초과환급)신고 가산세
* 납부지연 가산세
* 증빙불비가산세
* 무기장가산세 등

(＋) **가산세**
* 성실신고확인비용 세액공제
* 중소기업특별세액감면 등

(－) **기납부세액**
* 중간예납세액
* 수시부과세액
* 원천징수세액 등

납부(환급)할 세액

출처: 국세청 – 종합소득세 세액흐름도

　위에서 나열한 6가지의 소득을 모두 포함해서 종합소득이라 불린다. 종합소득세 신고대상이 되면 매년 5월 국세청에 신고를 해야 하는데,

이때도 세무사들이 매우 바쁘다. 근로소득자가 1분기 때 연말정산이 끝나면 신고가 종결되는 것과 달리 개인사업자나 프리랜서분등은 5월이 더 바쁘다. 종합소득도 근로소득처럼 연말정산이란 것을 하게 되고, 환급 받기 위하여 다양한 수익들과 비용을 정리한다.

다시 한번 종합소득세액 세액흐름도를 보자. 몇 페이지 전보다는 더 잘 보일 것이다. 근로소득과 5개의 다른 소득이 보이고, 종합소득금액 아래 보이는 소득공제 등등은 기존에 하던 근로소득과 비슷해서 낯익다. 즉, 근로자는 2월에 근로소득만 가지고 연말정산을 한 후 근로소득세를 환급/추가납부 받고 종료하고, 종합소득자는 5월에 종합소득을 가지고 연말정산을 한 후 종합소득세를 환급/추가납부 받게 되는 점만 다를 뿐이다.

이제 근로소득만 바라보던 시야에서 좀더 넓혀서 봐야 할 소득 들이 줄 서있다. 이자소득, 배당소득, 사업소득(부동산 임대), 연금소득, 기타소득까지 조금씩 친해져 보자. 관심 가지고 친해지는 만큼 더 멋진 친구가 되는데, 더 친해지면 절세는 물론 세금 환급으로 현금으로 통장에 입금까지 해 준다.

종합소득세 대상자는 매년 5월 국세청에 직접 신고 납부 하거나 세무사에 의뢰 할수 있다.

7) 법인세

　개인의 세금은 웬만큼 정리가 되었을 것이고, 필요에 따라 법인세도 관심을 가지게 될 것이다. 법인세란 쉽게 말하면 법인회사의 소득세라고 볼 수 있다. 근로자가 내는 세금은 근로소득세, 종합소득자가 내는 세금은 종합소득세, 법인회사가 내는 세금은 법인세이다. 구조도 대략 동일하다. 수익-지출 =〉 잔여이익-세금

　법인세는 Corporate Tax로 법인회사의 소득에 부과되는 국세이다. 근로소득 또는 종합소득에 대하여 부과되는 것은 개인소득세이니, 부과되는 대상이 법인과 개인으로 다른 점이 가장 큰 차이이다. 대부분의 법인들은 소득에 대하여 년 결산이 끝난 후 3월에 납부한다.

법인세율		
과세표준	세율	누진공제
2억이하	10%	-
2억초과~ 200억원이하	20%	20,000,000원
200억초과 ~ 3,000억원 이하	22%	420,000,000원
3,000억원 초과	25%	9,420,000,000원

법인세율

　일반적인 일정을 보면 회계결산 완료(1~2월) -〉 이사회 소집 -〉 주주총회 소집(3월) -〉 회계결산 통과/최종확정 -〉 법인세납부(3월) 으로

진행된다고 볼 수 있겠다. 재무 관련 업종들이 이 시기에 가장 바쁘고, 바쁜 만큼 3월 이후에 이직 러시가 많이 발생한다. 물론 결산 전 중간에 퇴사 하는 사람도 있는데, 남아있는 직원들은 정말 죽을 맛이다. 여하튼 회계결산이 확정이 되고 법인세를 납부하게 되는데 현재기준으로 세율은 이러하다.

　최근 뉴스에서 25% 구간을 삭제할 것이라는 내용을 본 적이 있는데, 그렇게 되면 현재 4구간에서 3구간으로 축소가 될 것이다. 개인 소득세인 종합소득세와 비교하면 법인세의 세율구간이 매우 단순한데, 표로 비교해보면 아래와 같다. 법인세의 과세표준 2억 이하일 경우 세율은 10%인데 반해 개인은 6%~38% 구간으로 복잡하고 최대치도 다소 높다.

종합소득세			법인세			비고
과세표준 구간	세율	누진공제	과세표준	세율	누진공제	
1,200만원 이하	6%	-	2억이하	10%	-	법인 10% vs. 개인 6~ 38%
1,200만원 초과 ~ 4,600만원 이하	15%	108만원				
4,600만원 초과 ~ 8,800만원 이하	24%	522만원				
8,800만원 초과 ~ 1.5억 이하	35%	1,490만원				
1억 5천만원 초과 ~ 3억원 이하	38%	1,940만원				
3억원 초과 ~ 5억 이하	40%	2,540만원	2억초과~ 200억원이하	20%	2,000만원	법인 20% vs. 개인 40%~45%
5억원 초과 ~ 10억원 이하	42%	3,540만원				
10억 초과	45%	6,540만원				

종합소득세 vs 법인세율

근로자는 근로소득세 | 종합소득자가 내는 세금은 종합
소득세 | 법인회사가 내는 세금은 법인세

8) 자본수익률 5%

경제학에서 얘기하는 생산의 3대 요소는 토지, 노동, 자본이다. 그중 노동은 근로소득이고, 토지와 자본은 자본 수익으로 볼 수가 있다. 자본의 투자 종목은 부동산, 예 적금, 주식, 달러, 금, 채권, 농산물, 에너지, 비트코인, 저작권 등 매우 다양하다.

프랑스 경제학자 토마 피케티의 자본수익률 개념을 잠시 인용하자면, 자본/소득비율은 자본이 소득의 몇 년에 해당하는지 나타내는 지표이다. 선진국은 대체로 5~6이며, 6년간 소득누적금액이 자본과 동일하다는 의미이다. 예를 들어 부동산 자산이 6억이고, 소득이 1억일 경우 비율은 6이 된다. 즉 자본/소득 비율 = 6억 / 1억 = 6 이다. 자기 능력으로 '돈을 번다'라는 의식을 가져야 하는데, 자본은 각종 부동산과 금융자산, 전문자산(공장, 인프라, 특허 등)이 해당 된다.

자본수익률(r) > 경제성장률(g)

자본 수익률은 항상 경제성장률보다 크다. 즉, 자본 수익률은 일반적으로 평균적인 급여 증가율보다 크다고 볼수 있으며, 통계적으로 선진국기준 자본 성장률이 경제성장률(소득증가율)의 약 5~6배이다. 일반적인 자본 수익률(r)은 선진국 기준으로 년간 약 4~5% (5%) 이고, 경제 성장률(g)는 선진국 기준으로 년간 0.5~1% (1%) 이다.

  따라서, 자본수익의 1/5을 재투자하는 것만으로 자본을 평균 소득보다 빠른 속도로 늘려 갈수 있다는 이론이다. 2013년 출판 당시 빈부격차에 대응하는 이 자본 수익률 개념으로 논의를 크게 불러 일으켰다고 한다.

> 자본수익률 5% 〉 경제성장률(소득증가율) 1%
>
> 어느 정도 자본이 쌓이게 되면 자본을 어떻게 늘릴지 투자할지 고민해야 하는 것이 더 효과적이다.

9) 한국부자의 총자산 구성비 6:4

 자본이 작으면 작은 데로 많으면 많은 데로 장단점이 있을 텐데, 다양한 시행착오는 겪을 수 밖에 없을 것이다. 그럼 기왕이면 자본이 작을 때 시행착오를 겪는 것이 더 유리하지 않을까 생각해본다. 누군가가 얘기했었는데, '40대 이전에 번 돈은 내 돈이 아니다.' 라고 했다. 시행착오에 대한 일반적인 나이를 가정 한 것으로 보이는데, 자본의 규모는 나이와 항상 비례하지는 않는 듯 하다.

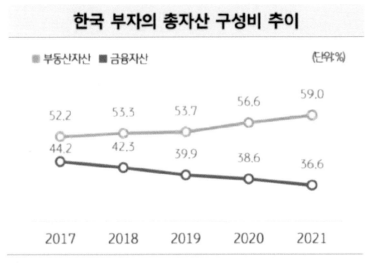

출처: KB국민은행 2021 부자보고서

 필자는 주식투자를 퇴직 후 처음 시작했는데, 흔히 얘기하는 40대 주린이다. 시드머니는 정말 소액으로 시작해서, 수많은 시행착오를 1년 정도 거쳤다. 지금은 상대적으로 안정적인 종목 위주로 포트폴리오를

40대에 퇴직할 때 준비할 것 10가지

구성해서 인지 시장이 좋지 않음에도 그런데로 잘 버텨 주고 있다. 몇 개의 종목에 집중하는 것도 중요하지만, 전체적인 포트폴리오로 구성하게 되면 시장 상황이 좋지 않을 때 더욱 빛을 발하는 듯 하다. 국민은행이 발간한 2021 부자 보고서를 보면, 부동산과 금융자산 비율이 6:4(아래그래프), 그리고 일반적인 금융자산 포트폴리오에서는 주식과 채권의 비율이 6:4 또는 7:3이 자주 보인다.

그렇다고 한다면, 현재 나의 자산이 너무 한 쪽으로 치우쳤거나, 부동산과 금융자산의 비율이 6:4에 근접하고 있는지 고민하고, 주식과 채권의 비율이 6:4에 가까운지도 체크하면 좋을 듯 하다. 요즘같이 은행 금리가 높고 시장의 유동성이 심할 때는 금융자산을 안정자산 위주 포트폴리오인 예금 50% 채권 30% 현금 20% 형태로 구성해도 좋은 대안이 될 수도 있겠다.

투자시기와 투자금액, 개인의 투자 성향 등이 모두 다르기 때문에 포트폴리오에는 정답이 있을 수 없겠지만, 수익률이 좋은 그룹들의 투자 방식을 우선적으로 배울 필요는 있다고 생각한다. 물론, 더 중요한 부분은 반드시 필수 생활비의 비용과는 별개로 여유 자금으로 투자가능 자금이 운용되어야 하며, 리스크 관리를 위하여 개개인에 맞는 포트폴리오 구성에 시간을 많이 투자해야 할 것이다.

필자의 경우, 년간 금융자산투자의 목표수익률은 10%이다. 올해는 시장상황이 좋지 않은 관계로 수익률이 마이너스를 기록하고 있기 때문에 고민이 많은 시기이다. 투자 원칙이 있는데, 주식을 포함한 위험 자산에는 -25%까지 떨어져도 버틸 수 있는 현금만 투입한다. 그때까지 버틸 수 없는 현금은 투자가능자금에 포함시키지 않고 있다. 월가의 돋보이는 투자자인 피터 린치의 조언들을 항상 마음에 새기고 있다.

지금은 안정적인 자산(정기예금 등)에 투자해도 년 4%이상 받을 수 있는 고금리 상태 이므로, 다양한 은행 상품들에도 관심을 가져보자. 시장의 유동성이 너무 심하다. 시장이 좋지 않을 때는 너무 무리하지 말자. 잠시 떨어져 있는 것도 투자전략 중에 하나다.

> 상황에 따라서 투자 포트폴리오를 조정하고, 리스크를 방지하기 위하여 투자 6:4 원칙을 기억하자.

10) 4대 보험

퇴직 전에는 근로소득세처럼 세금의 일부여서 당연히 납부 한다는 생각이 강했었는데, 퇴직 후 건강보험은 매우 부담스러운 지출 비용항목이 되었다. 피부양자로 등록할 가족이 없다면, 수입이 없더라도 몇 십만원의 지역건강 보험료로 납부를 해야 한다. 수입이 없는 상태에서 매월 발생하는 지출 비용은 매우 부담스러운 것이 사실이다. 4대보험을 전체적으로 잘 파악해두어서 피할 수 있다면 피하고, 줄일 수 있다면 줄일 수 있는 방법을 모색하자.

건강보험

관심도 없었고 생각지도 못했던 키워드 이다. 건강보험이 급여 받을 때 자동으로 빠져나가고, 병원 갈 때 에도 보험이 적용이 되어서 소액만 지불하니 아무런 문제가 없었다. 적어도 퇴직하기 전까지는 그랬다. 퇴직 후 알게 된 것은, 퇴직하게 되면 자동으로 직장건강보험 가입자에서 지역건강보험 가입자로 변경된다는 것이다. 또 현실적으로 인지하게 된 것은 직장건강보험 가입자 때는 회사에서 50%를 납부해주니, 개인은 50%만 내면 된다는 것이었다.

즉, 지역건강보험 가입자는 100%를 온전히 납부해야 한다. 그래도 머 금액이 얼마 되겠어? 라고 생각했다. 그런데, 건강보험 사이트 들어가서 시뮬레이션 해보았다. (아래) 건강보험 사이트에서 주택 5억 원으로 가정해서 시뮬레이션 해본 것으로 예상지역 보험료는 202,820원으로 산정이 된다. 작지 않다. 버는 돈에서 나가는 거와 그냥 내 통장에서 나가는 것은 큰 차이다.

	1.예상지역보험료.(09월) 202,820 원		2.예상지역보험료.(09월) 202,820 원	
	상세닫기			▼
구분	금액1		금액2	변동사유
① 소득(사업·연금·근로·기타소득) (소수점 3자리 이하 표기생략)	0점		0점	
② 소득최저보험료	19,500원		19,500원	
③ 재산(주택·건물·토지·전월세 등)	785점		785점	
④ 자동차	0점		0점	
⑤ 건강보험료 (①+③+④)x205.3점(2022년도 부과점수당 금액)+②	180,660원		180,660원	
⑥ 장기요양보험료(⑤x12.27%, 2022년 기준)	22,160원		22,160원	
⑦ 지역보험료(⑤+⑥)	202,820원		202,820원	

출처: 건강보험 - 예상지역건강보험료

수입도 없는데 꼬박꼬박 월 20만원은 너무 큰 금액이다. 심지어 나는 병원에 잘 가지도 않는다. 주기적으로 만나 뵙는 대표님들께 여쭈어보니 국민연금 받아서 건강보험 낸다고 하신다. 그 뒤 건강보험으로 거의 1시간 넘게 얘기했다. 핫 이슈다. 정리를 해보자.

40대에 퇴직할 때 준비할 것 10가지

비율만 본다면, 직장건강보험가입자 일 때는 50%로 약 20 만원을 납부하고, 지역건강보험가입자 일 때는 100%인 약 40만원을 납부해야 한다. 작지 않은 금액이다. 단, 지역건강보험은 재산가액을 기준으로 하므로 개인별로 편차가 있다.

전체	국민연금	건강보험	고용보험	산재보험

전체　2022년 기준(계산내용은 모의계산이기 때문에 실제와 다를 수 있습니다.)

월 급여　5,000,000　원　　[계산]　[초기화]
근로자수　●150인 미만　　○150이상(우선지원대상기업)
　　　　　○1,000인 이상　○150인 이상 1,000인 미만

구분	보험료 총액		근로자 부담금		사업주 부담금	
국민연금	450,000	원	225,000	원	225,000	원
건강보험	349,500	원	174,750	원	174,750	원
건강보험 (장기요양)	42,880	원	21,440	원	21,440	원
고용보험	102,500	원	45,000	원	57,500	원
합　계	944,880	원	466,190	원	478,690	원

출처: 건강보험시뮬레이션

지역건강보험은 재산의 규모에 따라서 매월 몇 만원부터 몇 십만 원 정도까지 납부하게 되므로 사실 부담이 되는 금액이다. 따라서 피부양자로 등록될 수 있는 가족이 있다면 등록을 하자. 만일 등록이 어려울 경우는 비용 예산에 추가하거나 차선책을 고민해 볼 필요가 있다.

퇴직 후에는 지역 건강보험 가입자로 전환이 되서, 재산가액

기준으로 건강보험료를 납부하게 된다.

국민연금

국민연금도 마찬가지로 근로자가 50%, 사업주가 50%를 납부한다. 기준월소득액 기준으로 각각 4.5%를 납부한다. 기준월소득액 기준이므로 고연봉자는 상대적으로 더 많은 금액을 납부할 수 있었다. 퇴직한 후 월소득이 없다고 가정하면, 국민연금 납부의무는 없다고 볼 수 있다.

시뮬레이션 해보자. (월 급여 5백만 원. 근로자수 150인 미만 가정) 국민연금 보험료 총액은 450,000원이고, 근로자가 납부하는 근로자 부담금은 225,000원 사업주가 납부하는 사업주 부담금은 225,000원이다. 즉, 50%를 사업주가 납부하므로 개인이 납부하는 금액은 50%, 225,000원이다.

구분	보험료 총액		근로자 부담금		사업주 부담금	
국민연금	450,000	원	225,000	원	225,000	원
건강보험	349,500	원	174,750	원	174,750	원
건강보험 (장기요양)	42,880	원	21,440	원	21,440	원
고용보험	102,500	원	45,000	원	57,500	원
합 계	944,880	원	466,190	원	478,690	원

출처 : 4대보험시뮬레이션

건강보험과 다르게, 국민연금은 적립을 한 후 연금지급시기가 도래하면 지급하는 형태이다. 퇴직 후에도 납부한다고 가정하면, 사업주 부담금이 없어지게 되므로 그만큼 적립액이 감소하게 된다. 국민연금은 국민연금에 소득 신고하거나 임의(계속) 가입 중인 경우 추납을 할 수 있으며, 추납대상기간(최대 10년 미만 한도)의 범위에서 신청할 수 있다. 다만 연금보험료 상한금액의 9%를 초과할 수 없는데, 상한금액은 2022년 기준 2,681,724원이다.

추납신청은 국민연금 가입기간으로 추가로 인정하는 제도로 강제사항은 아니다. 개인의 자금흐름에 맞추어 국민연금 추납여부를 고민해볼 필요가 있다.

국민연금 추납신청

월 납부 상한금액은 241,355원
년 납부 상한금액은 2,896,261원
10년 납부 상한금액은 28,962,619원

국민연금은 퇴직 후 최대 10년 한도로 추납이 가능하다.

고용보험

　고용보험은 근로자가 실직한 경우에 생활안정을 위하여 일정기간 동안 급여를 지급하는 실업급여사업과 함께 구직자에 대한 직업능력개발 향상을 주목적으로 하는 사회보험의 하나이다. 근로자기준으로 0.9%를 납부, 사업주도 0.9% 납부하고, 근로자 수에 따라서 추가적으로 납부한다. 고용보험도 사실 크게 와 닿지 않았었는데 실업급여를 받게 되면 한결 퇴직에 대한 부담이 적어지고, 1년 가까이 가계 경제에 여유가 생긴다.

임금계산기

시급	연봉	퇴직금	실업급여
퇴직시 만나이	50세 미만	∨	
고용보험 가입기간 ⓘ	10년 이 상	∨	
퇴직전 3개월의 1일 평균급여액		166,666 원	16만 6,666원

1일 평균급여액 = 최근 3개월 급여액 / 최근 3개월 근무기간

1일 실업급여액 (ⓞ)		66,000 원	
소정급여일수 (ⓐ)		240 일	
총 예상수급액 (ⓞ×ⓐ)		15,840,000 원	

소정급여일수는 나이와 고용보험 가입기간에 따라서 최소 120일에서 최대 270일입니다.
실업(구직) 급여는 원칙적으로 퇴직한 다음날부터 12개월이 경과하면 지급받을 소정급여 일수가 남아있더라도 더 이상 지급 받을 수 없습니다.

　　　　출처 - 4대 사회보험료 모의계산 www.4insure.or.kr

따라서 실업급여는 받을 수 있다면 꼭 받도록 하자. 또한 무료 국비교육을 받을 수도 있으므로 최대한 유용하게 활용하자. 퇴직을 할 경우에는 실업급여에 영향이 있고, 근로소득이 없을 경우 더 이상 고용보험은 납부하지 않아도 되므로 사라지는 비용 중에 하나이다. 50세 미만으로 10년 이상 근무 했을 경우 총 예상 수급 액은 15,840,000원 이다. (위 이미지)

실업 급여 지급 대상일 경우
최대 270일, 매월 200만원 가까이 받을 수 있다..

산재보험

산재보험은 산재근로자와 그 가족의 생활을 보장하기 위하여 국가가 책임을 지는 의무보험이다. 근로자는 납부대상이 아니며, 사업주만 납부의무 대상이다. 따라서, 개인이 근로소득 대상자 일 때 및 퇴직 후에도 납부할 보험료는 없다.

'눈과 귀를 닫고 샌드위치 먹으면서 야근에 일만 하고 있었
는데, 세상은 나도 모르게 많은 변화가 있었다. 리먼브라더
스의 파산으로 부동산 시장이 폭락했음에도 불구하고, 이후
부동산가격은 몇 배나 더 올랐다. 미국주식시장은 3배, 나스
닥시장은 10배, 금은 7배 , 한국주식시장은 4배 이상 성장
했다. 한국의 GDP도 예전의 그 개발도상국이 이제는 아니
다. 수 십년 동안 세상은 이렇게 풍요로워 지고 성장했다.
더 늦기 전에 이 좋은 세상을 많이 즐겼으면 좋겠다.'

제5장 파이프라인 준비하기 10단계

세전 급여에서 세금과 4대 보험을 대략 25% 정도 차감하고, 회사 관련 비용을 대략 25% 차감하면, 나머지 50%가 남는다고 가정해 보자. 이는 퇴직 후에 50%에 상당 하는 수익을 창출하면, 수익 측면에서는 같다고 볼 수 있다. 월 급여가 5,00,000원이었다면, 퇴직 후 2,500,000원만 수익을 창출하면 퇴직 전과 같을 수 있다는 얘기다. 회사 관련 비용을 정리한 다음 파이프라인을 구성하면 부담이 덜어질 것이다.

1) 퇴직 후 사라지는 비용을 확인 하자

 어느 누구는 억대 연봉에 차가 3대이고, 40평대로 이사 가고 등등 많은 얘기를 듣는다. 나는 생각한다. 세전 연봉도 중요하고 세후 연봉도 중요하지만, 가장 중요한 건 가용자금, 즉 투자가능자금이다. 즉, 비용이 발생하는 카드 값 지출, 공과금 납부, 쇼핑, 교통비 등 모두 사용 후, 남은 현금이 즉 가용자금, 가용 자금이 바로 투자가능자금이다. 투자가능 자금을 중심으로 자금 계획과 비용 계획을 세워야 한다. 세후 5천만 원 연봉인데 5천만 원을 다 써버리면 현금흐름 측면에서 제로이고, 투자 수익률 측면에서는 마이너스다.

퇴직 후 사라진 비용

그룹	항목	금액	비고
출퇴근비용	유류비	500,000	유류비 500,000원 (100,000원 * 5회, 왕복 100Km, 25회 가정)
	주차비	50,000	주차비 50,000원 (건물 주차외 타 건물 주차비)
	기타	50,000	기타 50,000원 (세차, 주차, 과태료 등)
	점심식사비	300,000	300,000원 (10,000원 * 25회 + 사주는밥값 10,000 * 5회)
	저녁식사비	400,000	저녁 식사비 400,000원 (50,000원 * 8회, 개인 모임들)
	대리운전비	200,000	대리운전비 200,000원 (40,000원 * 5회, 개인 모임들)
	합계	1,500,000	
사치비용	품위유지비	400,000	품위유지비 400,000원 (비싼잡화)
	사치식사비	400,000	사치식사비 400,000원 (비싼식사)
세금외	근로소득세	500,000	연말정산후 가정
	건강보험	200,000	
합계		3,000,000	

출퇴근에 비용이 크게 들어 가지 않는다고 생각했다. 일반적인 직장인들처럼 출퇴근 한다고 생각했고, 당연히 써야 하는 필수 비용이라 생각해서 크게 절제 하지 않았다. 시간을 내어서 비용들을 정리해 보니 어마어마한 비용들이 들어가고 있었고, 매우 방만하게 운영되고 있었다. 개인적으로 모임이 잦고, 비용이 많이 발생했던 사치 모임 등을 사실 스트레스 관리 비용이라 치부하며 애써 외면 하고 있었던 듯 하다. 역으로 생각하면, 퇴직하게 되면 회사 관련 비용은 사라지게 되거나 대폭 줄어 들 수 밖에 없을 것이다. 회사 관련 비용을 먼저 계산 해보았다. 독자들도 한번 계산해 보자.

필자의 퇴직 후 사라진 비용은 총 3,000,000원이다

2) 신규로 발생하는 비용을 체크 하자

반면, 퇴직하게 되면 신규로 발생하게 되는 비용이 있는데, 주로 취미 , 운동, 사업 비용이 추가로 발생 했다. 대부분 긍정적인 지출로 볼 수 있다. 건강보험은 피부양자로 등록할 수 있어서 추가로 발생하지 않았고, 국민연금은 현재 유보 중인 상태다.

신규로 발생하는 비용

그룹	항목	금액	비고
운동비용	필라테스	400,000	필라테스 400,000원(50,000원 * 8회가정)
	수영	50,000	수영 50,000원(월 강습료)
	운동악세사리	50,000	운동악세사리. 50,000원(스틱.허리색등)
	운동잡화	40,000	운동악세사리. 40,000원(반바지등)
	자전거	0	자전거 0원(기존 자전거)
	헬스	0	헬스 0원(아파트 커뮤니티)
	사우나	0	사우나 0원(아파트 커뮤니티)
	합계	540,000	
사업비용	사무실임차료	250,000	사무실 임차료 250,000원
	유류비	100,000	유류비 100,000원(100,000원 * 1회가정)
	주차비	10,000	주차비 10,000원
	모임	100,000	모임 100,000원(50,000원 * 2회가정)
	법인세	0	초기단계
	합계	480,000	
식사비용	점심식사비	100,000	점심 식사비 100,000원(10,000원 * 10회가정)
합계		1,100,000	

필자의 퇴직 후 추가 되는 비용은 1,100,000원이다.

3) 파이프라인 목표 금액을 설정하자

위 비용 정리 항목으로 봤을 때, 3,000,000원의 비용이 감소 되었고, 1,100,000의 비용이 증가되었다. 단순히 보면 퇴직만 했을 뿐인데 1,900,000원의 비용이 감소가 되었다. 비용적으로만 봤을 때 투자 가능 자금이 그만큼 증가 했다고 볼 수 있는데, 사실 필자의 경우는 일반적이지 않을 수 있다. 다소 일반적인 필자의 지인인 직장인A의 수익과 비용을 시뮬레이션 해보자. 편의상 근로소득세율 기준표 기준으로 6,000만원의 연봉을 가정한다. 그리고, 비용은 직장인 A의 소비 패턴을 적용해 보았다.

직장인 A 수익 비용 시뮬레이션

그룹	항목	금액	비고
수익	연봉	60,000,000	세전 연봉 60,000,000원
	연봉/월	5,000,000	세전 월봉 5,000,000원
	소득세	-366,667	소득세 누진공제 4,400,000원(-) 4,600만원 초과 24% 구간대 가정
	4대보험	-450,000	4대보험 납부 5,400,000원 (-) 9% 가정
	합계	4,183,333	세후 연봉 50,200,000원 세후 월봉 4,183,333원
비용	유류비	500,000	유류비 500,000원 (필자와 동일)
	주차비	100,000	주차비 100,000원 (건물 주차비)
	점심식사비	250,000	점심식사비 250,000원 (10,000원 * 25회)
	저녁식사비	200,000	저녁식사비 200,000원 (50,000원 * 4회) 용돈 50만원중
	대리운전비	80,000	대리운전비 80,000원 (40,000원 * 2회)
	품위유지비	100,000	품위유지비 100,000원 용돈
	사치식사비	100,000	사치식사비 100,000원 용돈
	취미생활	100,000	취미생활 100,000원 용돈
	복권구매	40,000	복권구매 40,000원
	합계	1,470,000	
차감합계		2,713,333	

A의 경우도 회사 출퇴근에 관련된 비용으로 다소 많은 비용이 지출되고 있으며, 계산후 차액은 2,713,333원이다. 현실적으로 이 차액을 투자 가능 자금으로 사용하지는 못한다. 주거 관리비, 교육비, 공과금, 가족 식비 등으로 사용해야 한다. 인당 최저 생계비 기준 90만원으로 3인 가족을 적용 해보면, 차액은 제로에 가깝다. 하지만 당장 생활하는데 어려움은 없다. 퇴직 관점에서 역산 해보자.

퇴직 관점 역산

월 수익액은 4,183,333원

월 회사관련 비용은 1,470,00원

월 가족 기본생활비 2,713,333원 -> 퇴직 후 파이프라인 목표금액

만일 퇴사하게 되면, 회사 관련 비용은 차감이 되거나 큰 폭으로 감소 할 수 있다. 즉, 숫자상으로 월 가족 기본 생활비 2,713,333원으로 생활을 할 수 있다는 얘기다. 월 세전 연봉 5,000,000원의 반정도 되는 금액이다. 매우 큰 차이이다. 필자도 정리해보고 깜짝 놀랐다. 그리고 당연한 얘기이지만 퇴직 후에는 사치스럽거나 필수적이지 않은 비용을 많이 줄여야 한다. 개인별로 시간을 가지고 비용을 정리하고 그룹별로 구분해 보았으면 한다. (아래 예제)

1 소득세와 4대보험을 제외한 세후 급여 =〉통장에 들어오는 돈
2 회사에 관련 되어 지출되는 포괄적인 비용 =〉주말에 임직원들과 활동비 포함
3 순수하게 집과 가족들 생활비로 지출되는 비용
4.투자가능자금

정리하고 나면 셋째 그룹이 파이프라인의 1차적인 목표금액이 될 것이다. 필자처럼 알뜰하지 않은 독자가 있다면 놀랍도록 낮은 목표금액을 기대해도 좋을 듯 하고, 매우 알뜰하다면 퇴직 시점을 좀더 고민해야 할 수도 있다. 파이프라인의 목표금액을 세워라. 단 최대한 줄여서 목표 금액을 설정하자. 설정하기 어렵다면 첨부된 1인당 평균 생활비를 활용하자.

현재 수익 금액에서 회사 관련 비용을 차감한 금액이 퇴직 후
파이프라인의 1차 목표금액 이다.

4) 내가 하고 싶은 비즈니스로 10만원을 벌어보자

당근마켓에서 물건을 매우 잘 파는 친구W가 있었다. 추석 때 선물 들어온 스팸 선물 세트부터 안 쓰는 자전거 용품까지 하루에도 여러 개의 물품을 잘 판매 한다. 나는 그것을 보면서 대단하기도 하고 신기하기도 했던 게, 나는 이런 판매 구매는 거의 해본 적이 없었기 때문이다. 회사에서도 내가 하고 싶은 비즈니스를 선택할 수 없었다. 부서 발령 나는 곳이 내가 해야 할 비즈니스였다. 하고 싶은 비즈니스를 고민해 보았었지만, 그 당시는 내가 하고 싶은 비즈니스가 떠오르지 않았다. 적어도 1년 전에는 그랬다. 지금은 너무 많아서 걱정이다. 단 수익은

버킷리스트

No	버킷 리스트	진행사항 업데이트
1	첼로배우기	동네에 갈만한 첼로 학원이 없다. 피아노학원으로 갈려고 현재 대기중.
2	펜 드로잉	드로잉클래스를 수강을 했고. 아이패드로 그려보는중. 다음 주제는 화투임
3	요리	요리학원을 수강하려 했으나, 적절한 학원이 보이지 않아서. 대기중.
4	CFA 레벨1	주식투자에 도움되려고 준비하려 했고, 현재 투자자산운용사(11월시험) 시험칠예정.
5	영어회화	외국계기업에 다시 들어가지 않는 이상 투자시간 대비 소득이 없을듯 하여, 현재 대기중.
6	필라테스	가장 잘 선택한 항목. 퇴직후 바로 시작해서 현재까지 하고 있음. 결과. 최고다. 계속 할것임.
7	제주한달살기	시간이 없다. 벌려 놓은게 너무 많아서 한달은 힘들고, 올해 12월에 일주일정도 스테이 예정.
8	이탈리아한달살기	내년 상반기에 한달까지는 아니지만 3주정도 스테이 할 예정.
9	세계일주	갈려니 막막하다. 일단 장기적으로 대기중.
10	산업디자인	3D캐드, 산업디자인, 가구, 컵, 인테리어등 -> 재능이 없는 편인듯, 기회비용 검토중
11	글쓰기	네이버 블로그로 글쓰기 시작. 처음에는 맛집과 여행으로 시작
12	블로그 개설	네이버와 티스토리 블로그 개시, 브랜치 블로그 개설 준비중
13	책 출간	40대에 퇴직하려면 준비할 10가지 출간, 다음책 2가지 준비중
14	자유형 수영	자유수영 6개월 진행했고, 수영강습 초보자 10월부터 시작예정
15	등산-단풍구경	인근 낮은 산 공원, 작년 가을 북한산, 남산 다녀옴. 올해 계룡산 일단 갈 예정.
16	투자자산운용사	11월에 시험이 있고 응시할 예정. 합격후 눈여겨 보고 있는 사모펀드 가입예정
17	법인설립	올해 법인 설립완료. 현재 재무자문 업무 중 + 시스템 솔루션 소개로 수익 발생중
18	아이맥 구입	너무 너무 사고 싶었고, 올해 초 중고로 구매 완료.

아직 별개의 문제다.

 가장 쉽고 하고 싶었던 버킷리스트에서 수익을 낼 수 있는 부분을 먼저 찾아보았다. 여러 번 읽어보고 고민했지만 버킷리스트에서는 연관 고리를 찾을 수 없었다. 그러던 중 기대하지 않은 곳에서 수익이 발생하기 시작했다. 바로 네이버 글쓰기인 에드포스트이고, 아래 이미지는 이번 달 지급 내역을 메일로 받은 내용이다. 지금도 이렇게 책을 쓰고 있지만 나 스스로도 믿어지지 않는다. 글의 품질을 떠나서 이렇게 많은 양의 글을 쓸 수 있을 거라 생각하지 못했다. 최근 하루 마다 수십 페이지를 쓰고 있다. 정말 많은 양이고 너무 너무 놀라운 상황이다.

 네이버에 글을 처음 쓰기 시작할 때가 생각난다. 맛집을 좋아해서 다녀온 곳에 사진도 정리하고, 느낌도 함께 올리는데 대략 2시간 넘게 걸렸다. 지금은 30분이 안 걸린다. 이미지 작업도 쓱싹 하고 글도 쓱싹 올린다. 여유가 생겼다. 이웃들도 많아졌다. 가급적 다녀온 그날을 넘기지 않으려 한다. 처음 시작했던 6개월 전과 너무 다르다. 더 놀라운 것은 수익이 발생하고 있다는 것이다.

 지금은 더 긴 글인 책을 쓰고 있다. 6개월 전에는 상상도 할 수 없는 상황이다. 정말 중요한 것은 이렇게 글을 쓰고 있어도 네이버에 글을 올릴 때에도, 전혀 피곤하지 않고 매우 재미있다는 것이다. 생각이 정리가 되고 보람도 있으며, 일상의 마침표와 개인적인 기록도 남는다. 긍정적인 에너지가 바람직한 방향으로 잘 쓰여지고 있다. 특히 이 책을 쓰면서 인생을 되돌아 보는 시간도 가지게 되어서 더 의미가 깊다.

출처-네이버 에드포스트 수입지급

10,000,000원 벌기는 매우 어렵고, 1,000,000원도 만만치 않지만 100,000원은 그래도 한번 해볼 수 있지 않을까? 라고 생각한다. 어떤 노력이 필요할까? 내가 한 노력은 내 하루 살피기 -> 자주 하는 생각하기

40대에 퇴직할 때 준비할 것 10가지

-〉 생각난 글 올리기이다. 쉽다면 쉽고 어렵다면 어렵겠지만, 버킷리스트에서 확장되는 비즈니스는 웬지 즐기면서 수익이 난듯하여 더 힘이 난다. 시도 해 보자. 버킷리스트로 10만원 벌기.

> 내가 좋아하고 하고 싶은 일로 10만원을 우선 벌어보자. 집에 안쓰는 물건을 팔아도 좋고, 글을 써도 좋고, 아르바이트를 해도 좋다.

5) 현금흐름의 중요성을 잊지 말자

재무업무를 하면서 가장 긴장되는 키워드 중에 하나가 캐시 디폴트다. 일시적 이거나 순식간에 현금 흐름이 막혀버리면서 채무 불이행 상태가 와버리는 것을 뜻한다. 회사의 이미지와 운영에도 타격을 입을 것이고, 담당자의 얼굴도 하얗게 변한다. 근로소득이 있을 때에는 신용카드 결제일에 크게 관심이 없었다. 당연히 은행에 급여가 들어온 후 결제일에 맞추어서 청구액 들이 빠져나간다. 최종적으로 빠져나간 후 잔액만 확인하면 될 뿐이었다. 당연하고 수십 년 간 반복된 수순이었다.

퇴직 후 몇 개월 뒤 어느 날, 핸드폰으로 카드연체 메시지가 날라왔다. 당황했다. 이게 머지? 은행 사이트가 장애가 났나? 월급이 안 들어왔나?

주마등처럼 여러 가지 생각이 스쳐갔다. 현실로 돌아왔다. 문제점을 정확히 알게 되었다. 어느 누구도 내 통장에 급여를 입금해주지 않는 것을 실감하는 순간이었다. 그 통장에 잔고는 0 이었다. 수십 년간 급여를 입금해주던 그 회사는 떠난 지 오래다. 짧은 하루였지만 퇴직을 온몸으로 체감한 시간이었다.

퇴직 후에는 불규칙한 현금흐름에 적응해야 한다. 스스로 움직이지 않으면 아무도 대신해주지 않는다. 그게 현금흐름이든, 출퇴근시간이든, 점심시간이든, 아무도 챙겨주지 않는다. 내가 일정표를 짜고 계획표를 짠 다음, 체크리스트를 만들어서 체크, 체크 하면서 하루를 보내야 한다. 스케줄러에 입력하고 또 다른 스케줄러에 입력하고, 어떻게든 잊지 않게 메모 해야만 카드연체 같은 혼란스러운 상황을 미연에 방지 할 수 있다. 다양한 자산관리 앱과 은행 앱들을 적극 활용하자.

카드연체 관련해서는 트라우마 같은 좋지 않은 기억이 있다. 전 회사는 개인형 법인카드를 사용하고 있었는데, 규정에 맞지 않는 비용지출일 경우 직원이 해당 금액을 직접 통장에 입금하게 되어 있다. 직원이 입금을 하지 않고 있었는데, 그 달은 하필 놓치고 지나가고 있었다. 며칠 뒤 은행에서 전화를 받고 연체를 알게 되었는데, 바로 입금처리 하여 연체는 해결되었다. 하지만 수개월 뒤 보증보험을 발급할 때 그 기록이 올라가 있어서 발급이 지연된 적이 있다. 심지어 그때 연체 금액은 고작 900원인가 그랬다.

퇴직한 후 스케줄러가 이렇게 중요하게 될 줄 몰랐다. 지금은 시간단위로 스케줄을 관리하고, 또 확인하는 습관이 들이는데 적응 중이다. 시간을 보다 체계적으로 사용하게 된 것은 또 하나의 생각하지 못한 베네핏 인 듯 하다. 잊지 말자. 시간은 돈보다 더 중요하다.

퇴직 후에는 아무도 내 통장에 관심 가져주지 않는다. 수시로 확인하자

6) 파이프라인 이것 만은 주의하자

무언가 뜻대로 되지 않을 때가 있다. 분명히 열심히 했는데, 결과가 좋지 않아서 좌절 했을 때가 있다. 회의 결과가 아주 좋았었는데 계약서에 도장을 찍지 않고 보류가 된 상황도 부지기수다. '연애할 때 상대방을 좋아하는 것과 상대방과 연애 하는 내가 좋은 것에 대한 혼돈' 이라는 논문을 읽은 적이 있다. 연애 그 자체가 너무 좋아서 상대방에 대한 냉정한 평가가 묻힌다는 주제였다. 상대방을 좋아하는 내가 너무 좋아서, 좋아하지도 않는 그 사람 곁에서 헤어지지도 못하고 머물러 있는 것이 아닌지 냉정하게 판단해야 한다.

에너지를 정확한 곳에 쓰자

회사는 이미 퇴보 되고 있는 상황에서 회사에 대한 미련이 남아 있는건 아닌지 되돌아 보아야 한다. 리더의 부재, 산업 환경의 변화에 따라갈 의지가 없는 회사, 조직 문화가 변질된 회사에서 마음을 잘 고쳐 잡고 일에만 집중하기는 쉽지 않을 것이다. 회사 에서 나의 노동이 오롯이 인정받기는 더더욱 어려울 것으로 예상된다. 심지어 현재의 조직은 내 여생을 절대로 책임져 주지 않는다. 타인의 나에 대한 평가도 중요하지만 스스로의 평가가 더 중요하다. 노동의 신성함도 중요하지만 나에게 주어진 현재와 미래의 시간이 더 중요하다.

기왕 노동으로 수익을 창출 할거면 내가 더 빛나는 곳에서 시간과 에너지를 쏟아 붓는 것이 좋지 않을까? 집에서든, 휘트니스든, 공유 오피스에서든, 운동장이든, 도서관이든 나의 노동의 신성함이 빛을 발할 수 있는 곳이면 어디든지 좋다. 내가 좋아하고, 나를 좋아해주는 연인 같은 비즈니스를 만나자.

강남병원 마이너스 손실

출처: 국민은행 2021 부자보고서

살고 있던 강남 아파트를 팔아서 강남에 병원을 개원한 의사가 있다. 10년 동안 열심히 병원을 운영했고, 입소문을 타고 꽤 환자손님들이 늘어서 매년 2억 이상 벌었다. 10년 후에 살았던 집을 매수 하려고 알아봤더니 그 동네 아파트들이 20억 이상 상승해 버려서 현재 자산으로는 매수 할 수가 없었다. 병원을 대출 끼고 개원하고 아파트를 팔지 않았더라면 총자산 규모는 더 증가했을 것이다. 병원을 오래 운영했으니 인지도도 쌓여서 단순 비교는 어렵지만, 자산운영 측면에서는 분명 아쉬운 부분이 있다.

 국민은행의 부자보고서를 보면 소득의 원천이 다양하게 분산되어 있음을 볼 수 있다. (아래 그래프) 그 중 가장 큰 부분은 사업소득인데 부동산투자, 금융투자, 근로소득 등도 병행하면, 리스크를 많이 줄여 나갈 수 있을 거라 생각한다. 잊지 말자 자본수익률 5%. 잊지 말자 포트폴리오 분산.

남들 다 한다고 따라 하다 망함

봉준호 감독님의 기생충 영화에 나오는 대사를 잠시 인용하면, '근세는 대왕 카스텔라가게가 망하고 4년 전부터 빚쟁이 들을 피해서 지하 벙커에서 지내고 있고, 기택 또한 치킨 가게와 대왕 카스텔라 가게를 운영해서 망했다' 고 했다. 우리 나라에서 가장 많은 음식점이 치킨 집인데, 가장 많이 문을 닫는 음식점도 치킨 집이라고 한다. 대왕카스텔라도 그 당시 유명했었는데, 빵을 만들 때 식용유를 사용한다는 사회적 이슈가 있어서 급격하게 줄 폐업을 했다고 한다.

성북동에 종종 가는 돼지불백집이 있다. 처음 간 게 2000년 초반이니 이제 20년이 다 되어간다. 항상 비슷한 맛을 유지하시는 것 같고, 날씨 좋을 때 가면 밖에서 부는 바람 또한 시원하다. 함께 나오는 반찬들인 마늘 고추 상추 등도 신선해서 더 좋다. 주차장도 넓어서 주차 스트레스도 없어서 종종 이 먼 곳까지 먹으러 가게 된다. 동네에 있는 30년 넘은 설렁탕집도 마찬가지 인듯하다.

사실 필자는 트랜디한 스타일은 아니다. 항상 가던 곳을 선호하고, 밥 먹으러 매번 단골집을 방문 하고, 항상 가던 병원을 간다. 실제로 목동에서 머리 자르는 곳은 20년이 넘게 똑같은 분이 잘라 주시는데, 그때는 신입이었고 지금은 원장님이 되셨다. 목동에 있는 치과도 20년이 넘도록 매년 정기검진과 스케일링을 하러 가고 있다. 심지어 지금 다른 동네로 이사를 갔음에도 이 곳으로 와서 볼일을 보고 간다. 자주 가는 그

집들의 공통점이 있다. 편안하고, 친절하고, 맛있고, 사실 엄청 맛있다기보다는 기본에 충실한 맛있음이다. 그리고 주차하기 편하고 많이 혼잡하지 않으며, 직원들이 많은 편이다. 목표를 조금만 더 낮게 하고, 좀더 여유롭게 영업하고 있는 것이 롱런의 비결이 아닐까 생각한다.

책에서 본 매일 물고기 10마리만 잡는 어부가 생각난다. 지나가던 관광객이 "왜 10마리만 잡으시냐"라고 물어봤더니, 자기는 그 정도면 충분하다고 했다. 관광객은 "더 많이 잡으면, 돈도 많이 벌고, 나중에 더 여유롭게 사실 수 있을 텐데요." 했는데, 어부가 화답하기를, "허허. 지금도 충분히 여유롭게 살고 있답니다"라고 했다.

선택의 귀로다. 지금 여유롭게 살아갈지, 지금은 힘들지만 나중을 기약하며 조금 더 고생할지 말이다. 무리하지 않고 목표를 조금 낮추는 것도 롱런의 비결인 듯 하다.

성과가 매우 좋은 사람들의 노하우를 종종 들여다 보자

7) 파이프라인 이것만은 꼭 포함 하자

　매우　정신없이　시간을　보냈고　상대적으로　높은　수익을　그동안 창출했었다면, 앞으로는 좀 더 여유를 가져보는 것은 어떨까 생각한다. 리스크를 안고 모험 하는 것도 한편으로는 좋을 수 있지만, 가지고 있는 지식과 상황이 상대적으로 무거울 수 밖에 없을 것이다. 좀 더 신중하고 장기적인 계획을 세워서 가면 더 안전할 것이고 심리적으로도 편할 듯 하다.

▌삶의 보람을 느낄 수 있는 일

고대 인도 법전의 '4주기'에 따른 인생을 보내는 방법을 보면 아래와 같다.

고대 인도 법전 '4주기'
1 학생기(00세~25세): 살아가는 지혜를 터득하는 배움의 시기
2 가주기(25세~50세): 가정을 꾸리고 일에 힘쓰는 시기
3 임주기(50세~75세): 삶의 보람을 찾아 인간 답게 사는 시기
4 유행기(75세~100세): 집을 버리고 죽을 장소를 찾아 유랑하고 기도하는 여생

　이 책을 기준으로 보면, 가주기(25-50세)까지는 가정을 꾸리고 일에

힘을 썼다고 보면, 임주기(50~75세)에는 삶의 보람을 찾고, 인간답게 살아야 한다고 한다. 따라서 이 임주기 시기는 수익적인 측면도 중요하지만 삶의 보람을 느껴야 하는 시기다. 사회에 긍정적인 이바지를 하게 된다면 나의 자존심은 유지 될 것이고, 더욱더 가치 있는 삶으로 귀결될 것으로 보인다.

심리학자 메슬로우의 5단계 욕구이론도 보자.

메슬로우 5단계 욕구이론

1단계 생리적 욕구

2단계 안전의 욕구

3단계 사랑과 소속의 욕구

4단계 존중의 욕구

5단계 자기실현의 욕구

메슬로우는 가장 낮은 단계부터 순차적으로 충족되어야 그 다음 단계의 욕구가 발생한다고 본다. 예를 들어, 사랑과 소속의 욕구가 채워지지 않은 상태에서는 3단계 욕구가 가장 최우선이 된다는 것이다. 어느 정도 사회생활을 하고 3단계까지 충족이 되었다고 가정해보면, 4단계와 5단계의 욕구를 느낄 때라고 생각한다.

타인으로부터 존중, 존경을 받고 인정받는다면 나의 자존심이 유지되고, 스스로 갖고 있는 잠재적인 능력을 실행함으로써 자기실현의 만족을 얻게 된다면, 내 삶이 더욱더 풍족해지고, 개인의 자존감은 더 높아질 가능성이 높다. 스스로의 잠재적인 능력을 실행하여 사회에 긍정적인 영향을 미칠 수 있는 일을 찾아보자'

> **사회에 긍정적인 영향을 미치는 일을 하면 더욱더 삶의 보람을 느낄 것이다.**

최소 10년 이상 할 수 있는 일

골프와 수영도 그렇고, 비즈니스와의 공통점은 힘을 빼면 정말 편하다는 것이다. 골프 원 포인트 레슨을 받아도 수영을 하러 가도 항상 마지막은 힘을 빼라는 어드바이스였다. 일도 힘을 뺄 수 있다면 오래 오래 해도 부담 없이 즐기면서 할수 있을 것이라 생각한다.

언급했던 물개 친구 B를 기억할 것이다. 아무것도 모르는 주린이인 필자에게 주식투자도 일대일로 가르쳐주고 있다. 이번 주처럼 미국주식 장이 좋지 않고 급격하게 하락하여 침울해 있으면, 항상 이렇게 얘기한다. "최소 10년 이상 투자한다 생각하고, 여유 있게 지켜보라고. " 멋진 말이다. 10년 이상 무언가에 몰입하면 어느 누구라도 전문가가 될 가능성이 높다. 장기적인 마음가짐을 가지면 긴장도도 줄어 들 것 이다. 당장 매도 할 것도 아니고 어느 시점에는 다시 시장이 좋아질 것이다.

적어도 5년, 10년 안에는 시장이 좋아지지 않을까? 라고 기대하고, 긍정적으로 지켜볼 것이다. 오래된 전문가들도 그러한 의견들을 자주 강조하니 내 입장 에서는 기다리지 않을 이유가 없다.

필자가 친구들에게 술 먹으면서 종종 하는 얘기가 있다. 내 인생이 책이라고 가정하면, 무협지만 있으면 지루하지 않냐고? 로맨스도 있고, 액션도 있고, 다큐멘터리들도 들어가면 더 재미있지 않냐고 말이다. 그렇다. 비비드다 VIVID. 스피치 모임에서 나의 멘토가 내 연설을 평가할 때 해주었던 단어인데 느낌이 너무 좋아서 항상 머릿속에 간직하고 있다. 10년 단위로 했던 일을 요약 해보았다. 그 이후 10년도 기대된다.

> 10년 공부
>
> 10년 엔지니어
>
> 10년 재무
>
> 10년 법인운영, 투자, 글쓰기

내 인생의 책을 여러 가지 장르로 구성해보자. 동일 업무를 10년 이상 하게 되면 이미 전문가이다.

8) 다양한 컨텐츠. 수익구조의 다변화를 인식하자

생각지도 못한 다양한 컨텐츠 들이 호황이다. 흔히 알고 있는 먹방, 반려동물, 뷰티, 패션, 여행, 게임, 음악, 영화, 운동 등등 차고 넘친다. 1인 크리에이터가 컨텐츠 기획과 편집에 촬영까지 못하는 게 없다. 매일매일 새로운 컨텐츠가 쏟아져 나오고, 수십억 매출이 발생하는 유튜버도 뉴스에 자주 나온다. 단군이래 돈 벌기 가장 쉽다고 하는데 일단 나하고 는 관계가 없다고 생각했지만, 너무 단정 짓지는 말자. 가급적 귀를 열고 정보에 마음을 열어두자. 다양한 컨텐츠에 비례하여 플랫폼도 여러 가지다.

콘텐츠 전용으로 유튜브는 물론, 아프리카, 틱톡, 브이리뷰, 누누티비, 트래블데일리 등등 SNS 용으로 인스타그램, 트위터, 페이스북, 카카오

스토리, 네이버밴드, LINE 등 글쓰기 용으로 네이버, 티스토리, 브런치 등이 있다. 컨셉과 독자에 맞게 컨텐츠를 준비한 후에 컨텐츠에 맞는 플랫폼을 선택하고 자료를 올리면 우선 그걸로 시작이다. 필자도 현재는 몇 안 되는 플랫폼을 사용하고 있지만, 기회가 된다면 추가로 컨텐츠를 제작해서 경험해보고 싶은 바램도 갖고 있다. 친구K가 운동을 좋아해서 매일 휘트니스를 가서 운동 하는 것을 뒤에서 찍기만 해서 유튜브에 올리면 좋겠다 라고 제안했는데 꿈쩍 하지 않고 있다. 사실 나부터 보고 싶긴 한데 말이다. 나의 운동 자세는 사실 아직 너무 어설퍼서 말이다. 여하튼 다양한 플랫폼에 활동 중인 TOP 크리에이터들의 컨텐츠를 경험해보자.

아래 표는 유튜브 대한민국 구독자 순위이며, KPOP가수, 연애기획사, 방송사, 음원유통사, 토이, 웹 예능을 제외한 순위이다. 일반적으로 구독자에 0자리 한 개를 더 붙이면 월 예상수익이라고 하는데 그 기준으로 하면, 구독자가 100 만 명이면 월 1,000만원, 구동자가 1,000만 명이면 월 1억 원으로 예상해볼 수 있겠다. 참조용으로 첨부하였고 먹방/음식 분류가 확실히 많이 보인다.

이렇게 많은 플랫폼이 있는데 꼭 하나의 플랫폼만 쓴다면 조금은 아쉬울 듯 하다. 심지어 컨텐츠를 캐리 해서 매출을 발생하는 이들도 자주 보이는데 사회적인 이슈, 재미있는 짤, 중요한 뉴스 등을 개인 의견을 좀더 붙이거나, 그대로 타 플랫폼으로 캐리 하는 경우다. 출처관련 저작권 여부가 궁금하긴 하만, 여하튼 돌아다니다 보면 동일한 컨텐츠가 보일 때가 종종 있다.

유튜브 대한민국 구독자 순위

순위	채널명	분류	구독자 수	영상개수	조회수	링크
1	J.Fla 09 JFlaMusic	음악	1,740만	280	34.87억	09 V 09 A 09 S
2	Jane ASMR 제인 09 Jane ASMR 제인	ASMR	1,570만	1,279	54.24억	09 V 09 A 09 S
3	Hongyu ASMR 홍유 09 Hongyu ASMR 홍유	ASMR	1,120만	414	30.63억	09 V 09 A 09 S
4	햄지 09 햄지	먹방	1,000만	443	31.79억	09 V 09 A 09 S
5	빅마블 09 Big Marvel[21]	코믹/일상	804만	167	13.18억	09 V 09 A 09 S
6	쏘영 09 쏘영 Ssoyoung	먹방	728만	589	10.15억	09 V 09 A 09 S
7	이공삼 09 이공삼	먹방	726만	486	14.48억	09 V 09 A 09 S
8	문복희 09 문복희 Eat with Boki	먹방	713만	492	16.08억	09 V 09 A 09 S
9	정성하 09 Sungha Jung	음악	697만	1,275	19.43억	09 V 09 A 09 S
10	SIO ASMR 09 SIO ASMR	ASMR	650만	455	9.55억	09 V 09 A 09 S
11	포니(메이크업 아티스트) 09 PONY Syndrome	뷰티	592만	198	3.61억	09 V 09 A 09 S
12	어미보이 Yummyboy 09 어미보이 Yummyboy	음식	575만	891	19.54억	09 V 09 A 09 S
13	어썸하은 09 Awesome Haeun)어썸하은	댄스	518만	511	8.15억	09 V 09 A 09 S
14	쯔양 09 zuyang쯔양	먹방	517만	280	7.25억	09 V 09 A 09 S
15	떵개떵 09 떵개떵	먹방	460만	4,418	25.90억	09 V 09 A 09 S
16	영국남자 09 영국남자 Korean Englishman[22]	코믹/일상	454만	442	14.32억	09 V 09 A 09 S
17	하루한끼 09 하루한끼 one meal a day	음식	440만	171	4.24억	09 V 09 A 09 S
18	쿠킹트리 09 Cooking tree 쿠킹트리	음식	431만	1,170	3.95억	09 V 09 A 09 S
19	Raon 09 Raon	음악	424만	294	9.49억	09 V 09 A 09 S
20	까니쌤 09 까니쌤 [G-NI]	ASMR	424만	527	10.96억	09 V 09 A 09 S

내가 소스를 직접 만들거나 갖고 있는 소스가 법적으로 문제가 없다면, 한 곳의 플랫폼을 이용하는 것은 기본이다. 조금 번거로울 수 있지만 타 플랫폼도 관심을 가지면 좋을 것 같다. 필자의 경우 현재 네이버와 티스토리에 동일하게 글을 올리고 있는데, 이 두 개의 플랫폼도 성격이 확연히 다르다.

40대에 퇴직할 때 준비할 것 10가지

접근 경로나 키워드들을 살펴보면 네이버는 정보성 글인 맛집과 금융투자의 조회수가 많고, 티스토리는 여행과 호텔 카테고리에 관심이 더 많은 것으로 보인다. 필자 블로그 기준이다.

사실 이 책도 멀티플 아웃풋 중에 하나이다. 네이버에서 이미 여러 토픽을 글을 썼었고, 본격적으로 글을 덧붙여서 이 책이 나오게 된 것이다. 사실 이미 썼던 글은 반에 반도 되지 않았지만 베이스가 된 것은 사실이다. 미리 써두지 않았더라면 정상적으로 출간되기 쉽지 않을 것이다. 그 와중에 브런치와 성격이 맞는 글들은 브런치에 올리는 것도 좋겠다고 작가 선생님이 의견을 주셔서 조만간 브런치도 개설할 예정이다. 사실 브런치는 대중적인 글쓰기 플랫폼이라기 보다 작가들 위주의 플랫폼이라는 인식이 강해서 개인적으로도 선뜻 개설하기가 망설였었다. 최근 글들을 보면 일부 글들은 괜찮겠다는 생각이 들었다. 여하튼 도전 해볼 계획이다. 브런치는 주기적으로 선정된 작가에게는 책을 출간해준다는 정보를 들은 것 같다.

글쓰기 수익 플랫폼		
컨텐츠	플랫폼	수익구조
글쓰기	네이버 블로그	네이버 광고 수익
	티스토리	구글 에드센스 광고 수익
	브런치	인세
	전자책	인세
	종이책	인세

정리해보자. 현재 하나의 소스로 5개의 플랫폼을 활용(예정포함) 하고 있다. 지금은 네이버 에서만 유의미한 수익이 발생하고 있지만 1 년 뒤에는 분명 확장 되었을 것이다. 다양한 주제로 계속 글을 쓸 것이고 플랫폼이 지금보다 더 증가할 가능성이 매우 높다. 수익도 마찬가지이고, 매우 궁금하고 기대가 된다.

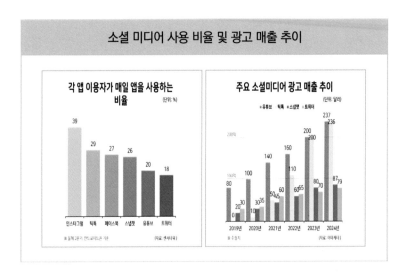

현재 소셜미디어 광고 매출은 유튜브가 1위 이지만, 2023년부터는 틱톡이 추월할 가능성도 있다. 다양한 수익구조에 귀를 기울이자.

9) 필자의 파이프라인 10개를 참조하자

　언급 하였지만 꼭 파이프라인을 반드시 10개를 만들지는 않아도 된다. 선택사항이다. 필자는 현재 10개의 파이프라인을 구축해 놓았고, 수익이 발생 하고 있거나 수나 발생할 것으로 예상이 되고 있다. 아직 초기 단계이기 때문에 총 금액으로만 보면 근로 소득액에 한참 못 미친다. 비율은 지속적으로 조정이 될 것이 항목이 줄거나 늘어날 가능성도 있다. 근로소득자일 때는 수익구조가 매우 단순 했고, 사실 근로소득이 거의 전부였다라고 봐도 무방하다. 반면에 지금은 블로그 광고수익, 책 인세 수익 등 총 10개로 구성이 되어 있고, 항목 별로 설명 하였다. (아래 표)

파이프라인 10개 현황

No	퇴직전	비율	퇴직후	비율 (가정)
1	근로소득	95%	재무자문	10%
2	이자	5%	시스템통합자문	10%
3			부동산 임대료	30%
4			주식투자수익	10%
5			주식배당	10%
6			블로그 광고수익	10%
7			책 인세 수익	5%
8			이자 수익	5%
9			저작권수익 배분 (음악.미술)	5%
10			이미지 업로드 수익	5%
합계		100%		100%

1 재무 자문 수익

사업체의 재무 이슈에 대하여 자문 서비스를 제공한다. 손익분석, 기업가치평가, 법인설립운영, 유형자산 투자, 무형자산 투자 등 에 관련되어 진행한다. 장기적인 계약을 맺거나 이슈 발생시 단기 프로젝트로 진행 하고 장기 계약 기간은 보통 1년 ~ 3년 단위이다.

2 시스템 통합 자문 수익

재무자문 결과로 업무시스템의 비효율성과 그에 따른 과다한 비용이 확인되면 시스템 개선안을 제안한다. 희망할 경우 적정한 솔루션을 가진 업체를 선정 후 협업 프로젝트로 진행 한다.

3 부동산 임대료

현금흐름을 보완 하기 위하여 상업용 부동산을 매입 했다. 현재 대출이자는 발생 중이고, 올해 안으로 임대료 수익이 발생 예정이다. 추후 매도차익수익이 발생하면 더 좋으나, 현실적으로 쉽지만은 않다. 부동산 경기가 좋지 않아서, 변동 상황을 지켜 보고 있다. 임대료의 기대 수익은 약 5% 이다.

4 주식 투자 수익

시간이 될 때 주식을 매수하거나 매도하면서 수익을 일으키는데 최근에는 실적이 좋지 못하다. 미국주식과 한국주식을 대략 7:3 비율로 배분하여 투자 중이다. 시장의 유동성이 심한 관계로 올해는 기술주 보다는 배당주와 가치주 위주로 포트폴리오를 구성 해두었다. 하락장의 수익률을 보완하기 위하여 오일, 금, 달러,

원자재, 농산물 등에 투자를 확대하고 있다. 목표 수익률은 10% 인데, 올해 누적 수익률은 -10% 정도이다. 작년 12월 경 미국 주식 대 하락 시즌에 대부분의 자산을 매도한 후 포트폴리오를 조정하였다.

5 주식 배당금 수익

주로 미국주식투자를 통해 배당금을 받고 있다. 분기 지급이 일반 적인데, 매월 지급하는 배당금 종목도 유용하다. 한국주식은 대부 분 1년 배당금으로 년 초에 주로 지급하는데, 한국주식보다는 미 국주식이 배당금에 보편적이다. 배당수익률은 종목에 따라 년간 약 2~7% 정도이다. 매월 들어오는 배당금의 주 사용 용도는 종목 재 투자와 외부 모임 비용으로 주로 쓰이고 있다.

6 블로그 광고 수익

네이버 블로그, 티스토리외 블로그에 투고한 글을 통해서 광고 수 익이 발생한다. 네이버의 수익이 상대적으로 더 높으며, 티스토리 (구글 에드센스)는 최근 조회수가 눈에 띄게 증가 중이어서 기대중 이다. 필요시 티스토리의 수익 확대를 위하여 별도의 교육을 받을 예정이다. 블로그를 통해서 들어오는 기타소득의 용도는 주로 책 구매로만 사용하고 있는데, '블로그 글쓰기 -> 창작료 입금 -> 책 구매 -> 책 쓰기 -> 블로그 글쓰기 '의 긍정적인 순환 구조를 도 모하고 있다.

7 책 인세 수익

출간한 책들로부터 발생하는 인세 수익이다. '40대에 퇴직할 때 준비할것 10가지'출간,이후 2번째, 3번째까지 출간 예정이고, 초 고 정리 중이다. 종이책에 비해 전자책의 발간 비용이 매우 낮아서, 출간을 희망하는 독자에게는 적극적으로 전자책을 먼저 추천한다.

8 이자 수익

금융상품으로 투자한 정기예금, 연금보험, 채권 등에서 발생하는 일반적인 이자수익이다. 최근 정기예금 이자가 5%대도 보이고 있어서 관심을 가지고 상품을 찾고 있는 중이다. 최근에는 주로 채권에서 분기별로 이자가 지급 받는 중이다. 이자는 약 4%대이다.

9 저작권 수익 배분

뮤직카우 플랫폼에 약 30곡 정도의 음악 저작권을 보유하고 있으며, 매월 1일 수익금을 배분한 배당금이 발생하여 수익이 발생하고 있다. 배당금의 수익률은 약 3% 정도이다. 케이옥션 등 플랫폼에서 미술품을 구매 후 판매될 때 수익발생을 기대하고 있는데, 아직 미술쪽은 본격적으로 시작 하고 있지는 않다.

10 이미지 유통 수익

사진 동호회 활동을 하면서 오랫동안 찍어둔 사진들이 많은데, 사진 유통 사이트에 업로드 하여 지속적인 수익 발생을 도모할 예정이다. 현재는 사진을 정리해야 하는 작업이 선행 되어야 하며, 그후 업로드 예정이다. 수익금 액은 높지 않을 것으로 예상된다.

파이프라인 목표 수익을 10개로 나눈 다음, 각 항목별 소액으로 채운다고 생각하면 마음이 편하다. 100만원 / 10 = 10만원

10) 파이프라인 안정화 기간을 설정하자

신입 사원 때 긴장되고 정신 없을 때를 상기해 보자. 아무것도 모른 상태에서 좌충우돌 하면서 업무를 익혔고, 수년이 지난 후 진급을 하고 회사의 주요 인재가 되기까지 최소 10년 넘게 걸렸을 것이다. 퇴직 후의 생활도 경우는 다르겠지만 정신 없고 모르는 것 투성이라 다른 장르의 스트레스가 조금은 올 것이다. 시기의 차이는 있겠지만 분명 본격적으로 파이프라인을 구성해서 안정화 되기까지는 시간이 필요하다. 막막하고 시행착오의 시간을 거치다 보면 어느 순간 성장 하는 본인을 깨달을 것이다.

준비하고 준비해서 이른 사직서를 낸 후 자유인으로 살고 있는 지가 1년이 넘어가는 중이다. 그 사직서를 내기 전 그 긴시간 동안

근로소득이 나에게 수익의 전부였지만, 지금은 규칙적인 수입 없이 가급적 다양한 소득 파이프라인을 만들기 위하여 고민하고 준비하면서 많은 시간들을 보내고 있다.

역시나 현재로써는 과거의 근로소득의 금액 대비 해서는 보잘 것 없다. 은퇴 준비는 최대한 다양하고 오랫동안 준비해야 한다고 했었는데, 현실적으로 나는 완벽 하게는 준비 하지는 못했던 듯 하다. 후회도 일부 되고 이해하지 못하는 지인들이 대부분이지만 개인적으로는 매우 잘한 선택이라 생각하고 적절한 타이밍이라 판단한다. 그래야만 한다. 물론 앞으로의 가시밭길은 나의 몫이다.

현실적으로 50대 이전에 사직서를 내고 회사를 퇴직한다는 것은 모든 직장인에게 비현실적이고 어려운 고민이다. 대부분 (0세 정년 퇴직을 희망하고 있지만, 30대 상무 40대 부사장이 남의 얘기가 아니다. 자주 듣는 얘기다. 즉 내 직속 리더가 30대 혹은 40대라는 얘기인데, 필자의 경우에도 오퍼가 왔었던 회사들 중에 한 곳은 CEO가 20대 인적도 있었다. 그때 그 회사의 매출액이 천억 대였으니 작은 회사는 아니었고, 지금은 주식을 매각하고 자유인으로 살고 있다고 알고 있다.

머리가 비워지고 주위가 정돈 되기까지 시간이 필요할 것이다. 실업급여를 받는 최소 1여년동안 무수한 생각이 있을 것이고 하루 일정은 계속 꼬이기만 할것이다. 중도에 수정을 하고 보완을 하지만 안정화 하기 까지는 생각보다 더 시간이 필요하다. 계획과 현실은 어쩔 수 없는 차이가 있으므로 신입사원의 마음으로 먼저 퇴직한 이들에게 묻고 또 묻자. 가족과도 상의하면 더 좋다.

필자의 경우는 안정화 기간을 5년으로 잡아 두었다. 5년 동안 현재 법인의 사업과, 투자 포트폴리오, 파이프라인 등의 안정화를 지속적으로 모색중이다. 충분히 잘 되라라 믿고 있고, 2년 동안 지나면서 자신감이 많이 붙었다. 파이프라인의 안정화 기간도 중요하지만 파이프라인 못지않게 강해 지는 스스로의 모습이 더 기쁜지도 모르겠다.

생각보다 스스로 할 수 있는 일이 많을 것이고, 지금은 단군 이래 돈 벌기 가장 좋은 세상이라고 했다. 여유를 가지고 세상에 뛰어들어도 좋을 것이고, 여유를 가지고 둘러만 봐도 좋을 것이다. 분명한 것은 파이프라인의 안정화 기간 동안 단순히 수익 측면의 안정화도 있겠지만, 나 스스로도 성장하고 안정 되어 가는 모습이 느껴질 것이다.

시간을 지배하는 자, 세상을 지배할 것이다

내가 좋아하는 버킷리스트로 알차게 구성된 하루 일정과 내가 하고 싶고 잘할 수 있는 일들로 구성된 파이프라인, 더 건강한 나의 하루는 더 이상 남의 일이 아니다. 파이프라인 안정화 기간을 여유롭게 잡을 수 있다면 더 좋고 아니어도 좋다. 이미 시간은 내가 컨트롤 하기 시작 했기 때문이다. 충분히 조절 할 수 있을 것이다.

제6장 주요 자료 첨부

앞장에서 서술했던 내용들 중 주요한 자료들을 한번 더 첨부했다. 계산을 하거나 참조할 때 찾기 용이하게 하기 위함이다.

40대에 퇴직할 때 준비할 것 10가지

1) 10개의 파이프라인

파이프라인 10개 현황

No	퇴직전	비율	퇴직후	비율 (가정)
1	근로소득	95%	재무자문	10%
2	이자	5%	시스템통합자문	10%
3			부동산 임대료	30%
4			주식투자수익	10%
5			주식배당	10%
6			블로그 광고수익	10%
7			책 인세 수익	5%
8			이자 수익	5%
9			저작권수익 배분 (음악.미술)	5%
10			이미지 업로드 수익	5%
합계		100%		100%

2) 10년 현금 흐름 계획

10년간 현금흐름표

			41	42	43	44	45	46	47	48	49	50
나이			41	42	43	44	45	46	47	48	49	50
년도			2022	2023	2024	2025	2026	2027	2028	2029	2030	2031
		년초잔고	100,000,000	120,800,000	141,600,000	162,400,000	163,200,000	164,000,000	164,800,000	165,600,000	166,400,000	167,200,000
현금흐름	수익	근로소득	20,000,000	20,000,000	20,000,000							
		근로소득	20,000,000	20,000,000	20,000,000							
		퇴직금				10,000,000						
		실업급여				10,000,000						
		주식배당금					5,000,000	5,000,000	5,000,000	5,000,000	5,000,000	5,000,000
		주식장기손익					5,000,000	5,000,000	5,000,000	5,000,000	5,000,000	5,000,000
		주식단타수익					2,000,000	2,000,000	2,000,000	2,000,000	2,000,000	2,000,000
		부동산					1,000,000	1,000,000	1,000,000	1,000,000	1,000,000	1,000,000
		인세					1,000,000	1,000,000	1,000,000	1,000,000	1,000,000	1,000,000
		저작권					1,000,000	1,000,000	1,000,000	1,000,000	1,000,000	1,000,000
		퇴직연금										
		개인연금										
		기타수익					5,000,000	5,000,000	5,000,000	5,000,000	5,000,000	5,000,000
		합계	40,000,000	40,000,000	40,000,000	20,000,000	20,000,000	20,000,000	20,000,000	20,000,000	20,000,000	20,000,000
	비용	생활비	19,200,000	19,200,000	19,200,000	19,200,000	19,200,000	19,200,000	19,200,000	19,200,000	19,200,000	19,200,000
		여행비										
		비상금										
		대출금										
		주택대출이자										
		주택대출상환										
		자동차										
		합계	19,200,000	19,200,000	19,200,000	19,200,000	19,200,000	19,200,000	19,200,000	19,200,000	19,200,000	19,200,000
		수입-비용	20,800,000	20,800,000	20,800,000	800,000	800,000	800,000	800,000	800,000	800,000	800,000
		년말잔고	120,800,000	141,600,000	162,400,000	163,200,000	164,000,000	164,800,000	165,600,000	166,400,000	167,200,000	168,000,000
		%	27%	31%	33%	33%	33%	33%	33%	33%	33%	33%
자산	부동산	아파트	300,000,000	303,000,000	306,030,000	309,090,300	312,181,203	315,303,015	318,456,045	321,640,606	324,857,012	328,105,582
		상업용부동산										
		부채										
	자동차	SUV	20,000,000	19,000,000	18,050,000	17,147,500	16,290,125	15,475,619	14,701,838	13,966,746	13,268,409	12,604,988
		세단										
	연금보험	퇴직연금										
		퇴직연금										
		종신보험										
		생명										
		보험										
	기타	저작권										
		비상장주식										
		합계	320,000,000	322,000,000	324,080,000	326,237,800	328,471,328	330,778,634	333,157,883	335,607,352	338,125,420	340,710,570
		%	73%	69%	67%	67%	67%	67%	67%	67%	67%	67%
총자산			440,800,000	463,600,000	486,480,000	489,437,800	492,471,328	495,578,634	498,757,883	502,007,352	505,325,420	508,710,570

40대에 퇴직할 때 준비할 것 10가지

3) 일주일 일정표

요일별 기본 일정

시간		월요일	화요일	수요일	목요일	금요일	토요일	일요일
8:00	9:00	스트레칭						휴식
9:00	10:00	주식체크						
10:00	11:00	필라테스	수영강습	휴식	수영강습	헬스 사우나	휴식	
11:00	12:00	휴식	수영강습	필라테스	수영강습			
12:00	13:00	점심식사						
13:00	14:00							
14:00	15:00	사무실	재활치료	사무실	외부미팅	글쓰기		
15:00	16:00							
16:00	17:00							
17:00	18:00							
18:00	19:00	저녁식사		휘트니스	저녁식사		글쓰기	
19:00	20:00			저녁식사 (고기)				
20:00	21:00							
21:00	22:00							
22:00	23:00	주식체크						
23:00	0:00	취침준비						

4) 평균 최저 생활비

기관별 최저 생활비

가구수	하나은행 부자보고서 (1)	보건복지부 공시 (2)	대법원 공시 (3)	평균 Avg(1+2+3)	평균 (만단위올림)
1인가구	893,333	583,444	1,166,887	881,221	900,000
2인가구	1,786,666	978,026	1,956,051	1,573,581	1,600,000
3인가구	2,679,999	1,258,410	2,516,821	2,151,743	2,200,000
4인가구	3,573,332	1,536,324	3,072,648	2,727,435	2,800,000

년간 최저 생활비 평균

가구수	1개월	1년	5년	10년	20년
1인가구	900,000	10,800,000	54,000,000	108,000,000	216,000,000
2인가구	1,600,000	19,200,000	96,000,000	192,000,000	384,000,000
3인가구	2,200,000	26,400,000	132,000,000	264,000,000	528,000,000
4인가구	2,800,000	33,600,000	168,000,000	336,000,000	672,000,000

40대에 퇴직할 때 준비할 것 10가지

5) 버킷리스트

No	버킷 리스트	진행사항 업데이트
1	첼로배우기	동네에 갈만한 첼로 학원이 없다. 피아노학원으로 갈려고 현재 대기중.
2	펜 드로잉	드로잉클래스를 수강을 했고. 아이패드로 그려보는중. 다음 주제는 화투임
3	요리	요리학원을 수강하려 했으나, 적절한 학원이 보이지 않아서. 대기중.
4	CFA 레벨1	주식투자에 도움되려고 준비하려 했고, 현재 투자자산운용사(11월시험) 시험칠예정.
5	영어회화	외국계기업에 다시 들어가지 않는 이상 투자시간 대비 소득이 없을듯 하여, 현재 대기중.
6	필라테스	가장 잘 선택한 항목. 퇴직후 바로 시작해서 현재까지 하고 있음. 결과. 최고다. 계속 할것임.
7	제주한달살기	시간이 없다. 벌려 놓은게 너무 많아서 한달은 힘들고. 올해 12월에 일주일정도 스테이 예정.
8	이탈리아한달살기	내년 상반기에 한달까지는 아니지만 3주정도 스테이 할 예정.
9	세계일주	갈려니 막막하다. 일단 장기적으로 대기중.
10	산업디자인	3D캐드, 산업디자인, 가구, 컵, 인테리어등 -> 재능이 없는 편인듯, 기회비용 검토중
11	글쓰기	네이버 블로그로 글쓰기 시작. 처음에는 맛집과 여행으로 시작
12	블로그 개설	네이버와 티스토리 블로그 개시, 브런치 블로그 개설 준비중
13	책 출간	40대에 퇴직하려면 준비할 10가지' 출간, 다음책 2가지 준비중
14	자유형 수영	자유수영 6개월 진행했고, 수영강습 초보자 10월부터 시작예정
15	등산-단풍구경	인근 낮은 산 공원, 작년 가을 북한산, 남산 다녀옴. 올해 계룡산 일단 갈 예정
16	투자자산운용사	11월에 시험이 있고 응시할 예정. 합격후 눈여겨 보고 있는 사모펀드 가입예정
17	법인설립	올해 법인 설립완료. 현재 재무자문 업무 중 + 시스템 솔루션 소개로 수익 발생중
18	아이맥 구입	너무 너무 사고 싶었고, 올해 초 중고로 구매 완료.

6) 파이프라인 기초 자료

파이프라인 계획 정리

	업무	업무 세부	파이프라인 확장
퇴직전	CFO	손익분석 | 자산투자 | 기업가치평가 | 상법 | 계약	금융자산투자 | 재무자문
	등기임원	상법 | 소송 | 변호사 | 법무사 | 이사회 | 주주총회	법인설립 | 운영자문
	글로벌 IT기업	국가별아웃소싱 | Plan | FCST | Pricing | Audit	자금계획 | 손익추측
	프로그래머	기업전산시스템통합 | 솔루션 도입 | 업무 분석	시스템 통합자문
	MBA학위	기업가치평가 | 현재미래가치 | 채권 | 수익률 분석	채권 투자 | 원자재 투자
	재무업무	법인세 | 세법 | 기업회계 | 세무사 | 예산관리	법인설립 | 손익분석
파이프라인 추가			
퇴직후	법인회사	재무자문	자문수수료
		시스템 통합자문 | 솔루션 제안	제안수수료
	금융자산투자	비상장주식 | 상장주식 | 원자재 | 금 | 채권 투자	매도수익
		주식투자	배당수익
	글쓰기	네이버 | 티스토리 | 브런치	블로그 광고수익
	책 출간	40대에 퇴직할때 준비할것 10가지	인세
	부동산투자	수익률 계산 | 상권 분석	임대료 수익 | 매도 수익
	사진촬영	사진 판매	업로드 수익배분
	저작권	음악 | 미술	수익 배분금
	금융이자	예금이자	이자수익
	펜드로잉	이미지, 에세이 삽화	그림책

40대에 퇴직할 때 준비할 것 10가지

7) 종합소득세 세액흐름도

금융소득

이자소득　　배당소득　　사업소득(부동산 임대)　　근로소득　　연금소득　　기타소득

종합소득금액

(−) 소득공제
- 기본공제(본인, 배우자, 부양가족)
- 추가공제(경로우대, 장애인 등)
- 연금보험료공제
- 주택담보노후연금 이자비용공제
- 특별소득공제(보험료, 주택자금공제)
- 조특법(주택마련저축, 신용카드 등 사용금액, 소기업·소상공인 공제부금, 장기집합투자증권저축 등)

(×) 세율(6~42%)　　종합소득 과세표준

산출세액
- 특별세액공제(보험료, 의료비, 교육비, 기부금, 표준세액공제)
- 기장세액공제
- 외국납부세액공제
- 재해손실세액공제
- 배당세액공제
- 근로소득세액공제
- 전자신고세액공제
- 성실신고확인비용 세액공제
- 중소기업특별세액감면 등

(−) 세액공제·세액감면

(+) 가산세
- 무신고가산세
- 과소(초과환급)신고 가산세
- 납부지연 가산세
- 증빙불비가산세
- 무기장가산세 등

(−) 기납부세액
- 중간예납세액
- 수시부과세액
- 원천징수세액 등

납부(환급)할 세액

8) 종합소득세와 법인세율 비교

법인세율

법인세율		
과세표준	세율	누진공제
2억이하	10%	-
2억초과~ 200억원이하	20%	20,000,000원
200억초과 ~ 3,000억원 이하	22%	420,000,000원
3,000억원 초과	25%	9,420,000,000원

개인 종합 소득세 vs. 법인세

종합소득세			법인세			비고
과세표준 구간	세율	누진공제	과세표준	세율	누진공제	
1,200만원 이하	6%	-	2억이하	10%	-	법인 10% vs. 개인 6~ 38%
1,200만원 초과 ~ 4,600만원 이하	15%	108만원				
4,600만원 초과 ~ 8,800만원 이하	24%	522만원				
8,800만원 초과 ~ 1.5억원 이하	35%	1,490만원				
1억 5천만원 초과 ~ 3억원 이하	38%	1,940만원				
3억원 초과 ~ 5억원 이하	40%	2,540만원	2억초과~ 200억원이하	20%	2,000만원	법인 20% vs. 개인 40%~45%
5억원 초과 ~ 10억원 이하	42%	3,540만원				
10억원 초과	45%	6,540만원				

40대에 퇴직할 때 준비할 것 10가지

9) 실업급여 대상조건

┌─────────〈**인터넷 수급자격 신청 대상자**〉─────────┐

❖ 상실신고서와 이직확인서가 모두 처리된 이직자로 아래의 요건을 모두
  충족하는 사람

  ○ 이직사유가 폐업·도산(22), 경영상 필요 및 회사불황으로 인원감축 등에
    의한 퇴사(23), 정년(31), 계약만료·공사종료(32)인 경우에만 가능

  ○ 이직일 이전 1년 6개월간 피보험단위기간이 180일 이상

  ○ 워크넷 구직신청 완료 및 온라인 수급자격 동영상교육 이수자

❖ 단, 신청 당시 만 65세 이상이거나, 마지막 이직일로부터 11개월이
  경과한 사람은 인터넷 수급자격 신청서 제출 제한

└──┘

10) 퇴직 통계

사유 별 퇴직 비율		
퇴직 사유	비율	비고
정년퇴직	9.6%	
권고사직.명예퇴직.정리해고	15.6%	비자발적 조기퇴직
사업부진.조업중단	16.0%	
직장 휴.폐업	9.7%	
합계(비자발적조기퇴직)	41.3%	

출처: 미래에셋투자와연금센터 보고서

에필로그

호기롭게 시작했다.

블로그에 써둔 적지 않은 글들로 웬만큼은 간단히 채울 수 있을 거라 착각 했고, 조금만 더 시간 내서 추가하면 책을 내는 것은 어렵지 않을 거라 믿었다. 그 믿음이 중반을 넘어가면서 후회가 되었다. 한숨이 늘어가고, 스스로에게 자책을 하기 시작했다. 급기야 어느 시점부터는 추가와 수정이 엄두가 나지 않아서 출간을 중도에 포기하려 했다.

이 책을 읽는 독자 대부분은 필자가 퇴직을 고민할 때와 처한 상황이 유사 하리라 본다. 점점 타이트해지는 출퇴근환경, 편하지만은 않은 조직생활이다. 보람은 감소하고 있고, 스트레스는 쌓이는 회사생활이다. 사실 그 보람 이라도 많으면 버틸 수는 있을 것 같다. 가능하고 버틸 수만 있다면 조직 생활을 꾸준히 더 이어가는 게 더 좋을 수 있고, 필자처럼 더 버티기 힘들다면 신중하게 고민해보고 실행에 옮기는 것도 좋은 대안 일수 있다.

가장 중요한 것은 직장 생활이 우리들 인생의 전부가 아니라 일부라는 것이다. 직장에 다니든 다니지 않든 모든 경제 생활이란 건 힘든 것이고 보이는 형태만 다를 뿐이다. 업무 종류가 다르고 근무 시간만 다를 뿐, 힘든 것은 마찬가지 라고 생각한다. 그러므로 직장을 그만두더라도, 직장에 다녔던 열정만 있다면 무엇이든지 할 수 있다고 필자는 믿는다. 하지만, 모든 근로자가 퇴직을 순조롭게 결정하기는 쉽지 않을 것이다. 여건상 퇴직 하지 않더라도 한 가지만은 꼭 기억해주기 바란다.

회사 생활에 매몰되어 시야를 그 회사에 한정하여 너무 가두어 두지는 않았으면 한다. 필자의 경우는 관심과 열정을 회사에만 너무 많이 쏟았었고, 퇴직 후에는 두고두고 안타까워 하고 있다. 나 같은 착오를 범하지 않기 위해서, 이 책을 읽는 독자들 만큼은 더넓은 세상에 대한 관심의 끈을 놓치지 않길 바란다.

과객 2022

중간고사 시험일 자고 있는 나에게 수십 번 넘게 전화 하고,

미래가 없는 사람과는 더 이상 만나고 싶지 않다 하고,

수익이 없어도 좋으니 이제는 하고 싶은거 하고 살아라

라고 얘기해주는 그 분께,.

.

.

.

하고 싶은 것 결과물 1호인 이 책을 바칩니다.

2022.12.08

책 제목 | 40대에 퇴직할 때 준비할 것 10가지

발행 | 2022년 12월 14일

지은이 | 과객

펴낸곳 | 주식회사 부크크

가격 | 16,000원